KB076750

비식용

열대식물 엿보기

열매 달린 살라나무

유기열(Ki-Yull Yu)
https://brunch.co.kr/@yukiyull

발 행 | 2024-02-14
저 자 | 유기열(Ki- Yull Yu)
펴낸이 | 한건희
펴낸곳 | 주식회사 부크크
출판사등록 | 2014.07.15(제2014-16호)
주 소 | 서울특별시 금천구 가산디지털1로 119, A동 305호
전 화 | 1670 - 8316
이메일 | info@bookk.co.kr

ISBN | 979-11-410-7186-8

본 책은 브런치 POD 출판물입니다.
https://brunch.co.kr

www.bookk.co.kr

비식용

열대식물 엿보기

유기열(Ki-Yull Yu) 지음

사막장미-꽃, 익어 벌어진 열매와 씨

차 례

사물에 대한 관심과 고마움은 인간이 추구하는 일의 성과를 거두는데 큰 힘이 된다. 책 『열대식물 엿보기-비식용』 역시 열대식물에 대한 나의 관심과 고마움이 낳은 성과라고 본다.

그렇다면 많은 것 중에 왜 열대식물에 대해 고마움과 관심을 가졌는가?

첫째, 지구상에 식물이 없다면 산소(O_2)와 먹거리가 부족하여 수많은 생명체는 물론 만물의 영장인 인간도 지금처럼 살 수 없으며, 이산화탄소(CO_2) 과다로 지구온난화와 같은 기후위기는 더욱 빨라지고 심각할 것이라고 믿기 때문이다.

그래서 나는 길가에 밟히면서 자라는 한 포기 풀에도 눈을 마주하며 고마움을 잊지 않는다.

둘째, 공무원 정년을 한 뒤 『숲 연구소』에서 1년간 숲, 식물, 생태환경 등을 공부하고 국립수목원에서 4년간 숲 해설을 했다. 그 탓인지 열대지역에서 생활할 수 있게 되자 나도 모르게 주변에 있는 열대식물과 아침저녁으로 눈인사를 하다 보니 정이 들 정도로 가까워졌고 열대식물의 색다른 점에 놀라움과 함께 빠져들지 않을 수 없었기 때문이다.

셋째, 메모지와 펜이 있고, 하고 싶은 마음만 있으면 열대식물을 관찰을

할 수 있었기 때문이다. 길을 가다가도, 어디를 가더라도 맘만 먹으면 누구의 간섭이나 어떤 제약도 없이 쉽고 자유롭게 식물에 다가가 마주 보며, 만지고, 감상까지 하면서 그들의 아름다움, 오묘함, 풍미 등에 폭 빠지기도 했다.

뿐만 아니라 그런 일 자체가 흥미롭고 재미있는 놀이 같았고 그러다 보면 때론 근심걱정까지 치유되기도 했다.

넷째, 지구 온난화로 한국도 이미 제주도와 남부해안은 아열대 현상이 나타나고 있다. 예전에 볼 수 없었던 열대식물이 노지나 시설에서 재배되고 있어 과수, 채소, 관상식물 등 열대식물에 대한 조사연구를 강화하는 등의 기후변화에 대한 대책이 시급하다고 판단되었기 때문이다.

물론 정부도 열대식물의 중요성을 인지한지 오래되었다. 그래서 농림축산식품부의 산림청 국립수목원, 농촌진흥청 온대화대응농업연구소, 환경부의 국립생물자원관 등의 관련기관에서 열대식물에 대한 연구가 진행되고 있으며, 이들 기관이나 민간단체가 열대식물도감이나 책 등을 발간하고 있는 것으로 안다.

하지만 아직까지 한국인 개인이 직접 열대 현지에 살면서 열대식물을 관찰하고 조사하여 발간한 책 이야기는 들어보지 못했다. 또한 여전히 자료부족으로 열대식물에 관심이 있는 사람들의 많은 궁금증을 해소하는데 부족함이 있는 것도 사실이다.

따라서 한국인의 열대식물에 대한 궁금증을 조금이나마 해소하고, 열대식물에 대한 관심을 높이는 데 도움이 되기를 바라면서 부족하지만 책 『열대식물 엿보기-식용』에 이어 『열대식물 엿보기-비식용』을 발간하였다.

책 『열대식물 엿보기-비식용』은 저자가 아프리카와 동남아에서 4년9월을 살면서 직접 많은 식물을 관찰하고 조사하였으며 그 중에서 26종의 비식용 식물을 선정하여 관찰 조사한 내용을 사진을 곁들여 쉽게 설명했다.

따라서 관상용으로 주로 자라는 비식용 열대식물은 어떤 것이 있는가? 그들의 꽃, 열매, 씨 등은 어떻게 생겼는가? 한국인이 보는 온대식물과 그들은 어떤 점이 다른가? 온대와 열대 양쪽에서 다 살고 있는 식물은 같을까 다를까? 다르면 어떻게 달라질까? 이런 궁금증을 푸는데 도움이 될 것이다.

더 나아가 책 『열대식물 엿보기-비식용』을 읽다 보면 자기도 모르게 열대식물의 환경적응력과 생존전략에 놀라고 공감하면서 생존을 위한 지혜를 터득하게도 될 것이다. 걸핏하면 삶의 터전과 직장을 쉽게 바꾸고 편하게만 살려는 현대인에게 열대식물은 뜨겁고 척박한 땅일지라도 뿌리를 내리고 인내하며 수백 년을 살아가면서 한번쯤 그런 삶의 방식을 다시 생각해보라고 한다.

한편 동남아와 아프리카 국가의 국력이 약해 정부에 의한 열대식물에 대한 조사연구가 잘 이루어지지 않아 열대식물이 제대로 활용되지 않는 것이 무척 안타까웠다. 앞으로 한국이 열대식물에 대한 종합적이고 체계적인 조사연구를 실시하여 인류의 삶의 질 향상에 공헌하기를 기대한다.

최선을 다했지만 미흡한 점도 있을 것이다. 관련된 의견을 주시면 그들을 검토하고 모아서 기회가 되면 다시 보완하려고 한다.

2024. 02. 14.

유 기 열

독자들을 위하여

사물에 대한 관심과 고마움은 인간이 추구하는 일을 성취하는 데 큰 힘이 된다. 이 책 『열대식물 엿보기-비식용』 역시 열대식물에 대한 관심과 고마움이 낳은 산물이라고 본다.

아프리카와 동남아에서 4년9월을 살면서 직접 관찰하고 조사한 26종의 비식용 열대식물에 대해 사진을 곁들여 쉽게 설명했기에 열대식물에 대한 궁금증을 해소하는 데 도움이 될 것이다. 더욱이 책을 읽다 보면 자기도 모르게 열대식물의 환경 적응력과 생존전략에 놀라고 공감하면서 생존을 위한 지혜를 터득할 수도 있다.

걸핏하면 삶의 터전과 직장을 쉽게 바꾸고 편하게 살려는 현대인에게 열대식물은 뜨겁고 척박한 땅일지라도 뿌리를 내리고 수백 년을 살아가면서 한번쯤 그런 삶의 방식을 다시 생각해보라고 하는 것 같았다.

한편으로는 열대지역의 국가들이 대부분 국력이 약하여 이들 풍부한 식물들에 대한 조사연구가 잘 이루어지지 않아 제대로 이용되지 않는 게 안타까웠다. 앞으로 독자 중 한 사람이라도 열대식물에 대한 종합적이고 체계적인 조사 연구가 이루어지는 데 참여하여 인간의 삶의 질 향상에 도움이 되었으면 한다.

●학회 등에 의해서 확정된 한글이름이 없는 경우는 일반적으로 많이 불러지는 이름을 사용했고, 그런 이름이 없는 식물은 저자가 식물의 특성, 영명 등을 참고하여 지었다.

●식물의 순서는 한글이름의 가나다순으로 했다.

●식물의 꽃, 잎, 열매, 씨, 뿌리 중 어느 한 부분도 공식적이거나 일반적으로 먹지 않으면 비식용 열대식물로 하였다.

●사용된 사진은 모두 저자가 휴대폰으로 찍었으며, 몇 장 안되지만 인용한 사진은 아래에 출처를 밝혔다.

●참고사항과 참고문헌은 각 식물 뒤의 "필자 주"에 표기했다.

●열대식물에 대해 더 알고 싶으면 저자가 지은『열대식물 엿보기-식용, 2024』,『메콩델타-베트남의 젖줄, 2021』,『껀터-메콩델타의 보물, 2021』,『르완다-아프리카의 심장, 2016』을 참고하면 도움이 될 수 있다.

●겨울눈이 없다

열대식물엔 온대식물과 달리 겨울눈(越冬芽)이 없다. 열대에는 식물이 잎을 떨구고 맨 몸으로 견뎌내야 할 겨울이 없으며 1년내내 언제든지 필요하면 양분을 만들어 새 잎을 내고 꽃을 피워 열매를 맺으며 살을 수 있기 때문이다.

사실 온대에서는 나무는 생육이 왕성한 여름에 겨울에 필요한 먹이를 준비하여 저장하고, 다음해 봄에 나올 꽃과 잎 등에 필요한 꽃눈, 잎눈 등도 만든다. 이러지 않으면 나무의 생존자체가 어렵기 때문이다.

●향기가 없거나 적다

열대식물은 꽃은 물론 잎 등에도 허브를 빼고는 향기가 적다. 온대지역에서 자랄 땐 향기가 있는 식물도 열대지역에서 자라니까 향기가 없었다. 신기한 일이다. 쑥과 부추가 그렇다. 한국 쑥이 열대인 르완다에서 자라니까 향기가 나지 않았다.

이처럼 온대에서는 향기가 나는 식물이 열대에서 자라면 향기가 나지 않는 이유는 매개체를 불러 모아 꽃가루받이를 하는데 어려움이 없거나 적기 때문으로 추정된다. 이유를 과학적으로 밝히기 위해서는 2곳에서 자라는 식물성분의 화학적 분석을 통한 연구가 도움이 될 것이다. 쑥의 경우 향기가 나는 것은 시네올(Cineol or Eucalyptol, C10H18O)이라는 정유(精油) 성분으로 알려져 있기 때문이다.

부추는 향기가 적어질 뿐만 아니라 혹처럼 생긴 근경(Rhizome)도 생기지 않았다. 혹 모양의 근경이 생기지 않는 이유는 겨울이 없어 월동용 양분을 저장할 필요가 없기 때문이라고 생각한다. 시련과 역경을 견뎌내야 더 강해지고 맛깔스러워지는 건 식물이나 인간이나 마찬가진가 보다.

르완다산 부추 근경 없음

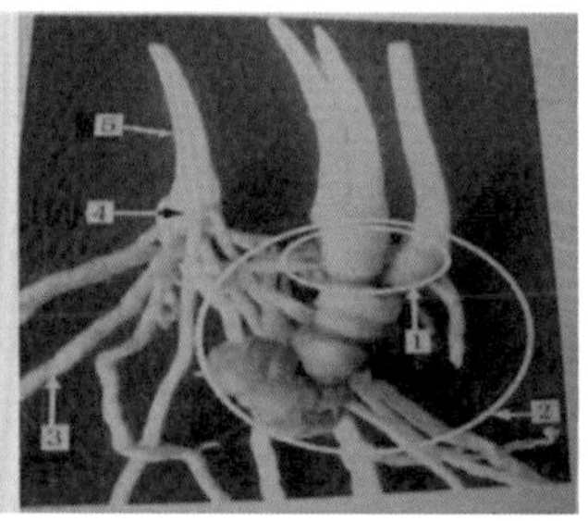

온대의 부추, 2-근경 혹

●꽃에 꿀이 적다

한국에서는 꽃을 따서 관찰하다 보면 손에 꿀이 묻어 끈적거린 경험이 있었는데 열대식물의 꽃에서는 그런 경험을 한 기억이 없다.

그러나 꽃에 꿀이 있기는 하다. 양봉을 하고 있으며, 그 나라에서 생산한 꿀을 마트 등에서 팔고 있으며 가끔 꽃을 분해 해보면 꿀이 적지만 보이기 때문이다. 식물에 꿀이 적을 뿐이다.

●꽃이 선명하고 화려하다

열대식물은 대부분 꽃의 색이 밝고 화려하다. 특히 난류 등은 이에 더해 모양이 오묘하고 고고하고 아름답다. 이는 향기와 꿀 대신에 아름다운 자태(姿態)로 매개체를 유인하여 꽃가루받이를 하기 때문인 것 같다.

이처럼 열대식물이 많은 에너지와 노력을 들여 겨울눈을 만들지 않아도, 향기를 내지 않아도, 꿀을 많이 품고 있지 않아도 되는 까닭은 이렇게 해도 열대지역에서는 식물이 생존하여 종족을 보존하는 데 큰 문제가 없기 때문일 거다.

●낙엽(落葉)은 떨어지나 단풍(丹楓)은 없다

열대식물도 수명을 다한 잎은 낙엽이 되어 떨어진다. 그러나 르완다에서는 나뭇잎이 단풍으로 변하는 나무를 보지 못했고 베트남에서는 딱 하나 열대아몬드(*Terminalia catappa*)의 일부 잎이 그나마 단풍답게 붉게 물들었을 뿐이다. 이는 아마도 열대에서는 최저기온이 5℃아래로 내려가서 오래 지속되지 않기 때문일 것이다. 그래서인지 르완다대학교 대학생들도 단풍이 무엇인지 잘 몰랐다.

일반적으로 최저기온이 5℃아래로 내려가 오래 지속되면 나무는 잎과 가지 사이에 떨켜층(이층, 離層)을 만들어 물과 양분의 이동을 어렵게 만든다. 그러면 잎의 산도가 높아져 녹색의 엽록소(chlorophyll)가 파괴되면서 녹색 대신에 노란색의 카로티노이드(carotenoids), 붉은색의 안토시아닌(anthocyanin), 갈색의 탄닌 등의 색소가 나타나 잎이 노랗게 또는 붉게, 더러는 갈색으로 변하는 게 단풍이다. 그런데 열대에서는 최저기온이 5℃아래로 내려가는 날이 거의 없기에 단풍이 생기지 않는다고 본다.

●열대나무는 때 없이 사랑하고 생산하여 꽃과 열매가 공존하기도 한다

꽃과 열매가 공존하는 별과일나무(좌)와 살라나무(우)

열대나무는 한 나무에서도 가지마다 꽃이 피고 열매 맺는 시기가 달라 꽃과 열매가 같이 있기도 한다. 꽃이 피어 있어 바라보면 열매가 익어 달려 있고, 열매가 달려 있어 처다 보면 꽃도 함께 피어 있다. 열대에서는 꽃은 봄에 피고 열매는 가을에 맺는다는 상식이 통하지 않는다. 양분만 충분하면 시도 때도 없이 꽃을 피우고 열매를 만든다.

나무는 한 몸으로 동시에 사랑하고 잉태하고 생산하는 셈이다. 참 오묘하다. 그런 나무는 살라나무, 별과일, 아보카도, 금비나무, 사막장미, 우의목(羽衣木) 등 많다.

●풀로 알고 있는 식물이 열대에서는 나무인 경우도 있다

열대식물 중 포인세티아(*Euphorbia pulcherrima*)가 그랬다. 한국에서는 포인세티아는 풀로 취급된다. 크리스마스 식물로 화분에 심거나 꽃밭에 다른 풀과 함께 심는다.

그런데 르완다에 가니까 2m가 넘는 나무로 자랐고 열매까지 맺었다. 그러나 줄기를 꺾어보니 속은 비어 있었다. 이런 걸로 보면 식물분류학적으로 나무로 볼지는 아직 의문이 가기는 하나 형태상으로는 나무로 보는 게 타당하다.

한국에서도 제가 2009년2월 잠실로 이사 와서 비닐포트에 심은 포인세티아 한 주를 사와서 지금까지 키우고 있다. 그런데 2024년02월05일 현재까지도 살아 키가68cm, 아래 밑동의 굵기가 둘레4cm정도로 크다.

더 나아가 줄기가 나무처럼 단단하고 여러 개의 줄기와 가지가 뻗었다.

좌: 포인세티아(르완다), 우: 화분에서15년이상 키운 것

이처럼 열대식물과 온대식물이 다른 점도 있지만 같은 점이 훨씬 많다. 식물은 어떤 식물이든지 물, 공기, 빛을 이용하여 스스로 탄수화물과 먹거리를 생산하고, 이산화탄소(탄산가스)를 소비하며 산소를 생산하여 인류를 포함한 수많은 생명체가 생존할 수 있게 하고 있다.

뿐만 아니라 식물은 바위 틈새든, 웅덩이든, 양지바른 옥토이든, 산이든 평야든 가리지 않고 처해 있는 곳에서 불평하거나 싸우지 않고 서로 어울려 조화롭게 살고 있는 점 또한 같다. 이런 점이 우리 모두가 식물을 좋아하고 아끼며 고마워해야 할 까닭이다.

식물이 없으면 인류도 없다. 풀과 나무에 고마워하고 관심을 가져야 하는 이유다.

니겔라시계꽃

파고다꽃

니겔라시계꽃(*Passiflora foetida*)
-떨어지지 않는 꽃이 있다

꽃은 피면 지게 되어있다. 봄날 눈 오듯 흩날리는 벚꽃, 아름다움이 다하기 전 시들어 지저분해지는 장미와 국화꽃, 푸른 가을하늘 아래서 춤추듯 하늘거리는 코스모스 꽃... 때가 되면 꽃은 싱싱함과 아름다움을 잃고 땅으로 떨어진다. 그것이 꽃의 일생이고 숙명이다.

그러나 그렇지 않은 꽃이 있다. 니겔라시계꽃이 그렇다. 볼수록 기특하다. 이 식물은 꽃을 떨구지 않는다. 꽃이 떨어지지 않는다. 꽃가루받이가 끝나면 꽃잎, 수술, 덧꽃부리(副花冠, Corona), 꽃받침 등을 통째로 안쪽으로 압축하여 말아 씨방아래에 붙인다. 조금 지나면 노르스름한 작은 콩알처럼 되고 그 위로 수정한 씨방이 3갈래의 암술대를 뻗은 채 올라와 있다. 열매가 익으면 아래에 딱딱한 마디처럼 되어 붙어 있다.

추정하건 데 이들 꽃잎 등이 열매가 크고 익는 데 양분으로 쓰이지 않을까 한다. 만약 과학적으로 이것이 사실로 밝혀지면 니겔라시계꽃의 자식 사랑은 어머니의 사랑 못지않다고 생각한다. 생명이 다한 후 그 몸마저 열매와 씨(후손)를 위해 다 바치기 때문이다.

그런데 또 하나 특이한 것은 포(苞, Bract)는 말리지 않고 떨어지지도 않은 채 수정이 끝난 어린 씨방이 커서 열매가 익을 때까지 씨방 등을 감싸고 있다. 또한 밀선(밀샘, 蜜腺)과 가시 털 같은 것으로 망(網) 모양을 만들어 해충을 막아주는 역할을 한다.

내가 근무하던 KVIP(한베인큐베이터파크)에 니겔라시계꽃이 많이 자랐다. 학명은 *Passiflora foetida*이다. 속명 *passiflora*는 'passion flower 즉 정열의 꽃'과 'fiore della passione 즉 수난의 꽃'이라는 2가지 설이 있다. 종명인 *foetida*는 라틴어의 '냄새가 난다'는 foetidus에서 유래되었다고 한다. 실제로 잎을 따서 으깨어 냄새를 맡아보니 조금 이상한 냄새가 났다. 그러나 베트남사람은 어린잎을 따서 먹는다고 했다.

이 꽃이 아름다워 자주 보고 있다. 처음엔 아름다워서 관심을 가졌다가 요즘엔 그 꽃의 일생이 너무 신기하다 할까? 희생적이다 할까? 숭고하다 할까? 아무튼 다른 꽃과 남달라 애착을 갖게 되었다.

형태: 1~3m의 덩굴성 식물이며, 덩굴손으로 다른 물체를 감고 올라가거나 옆으로 기어간다.

잎: 잎은 어긋나고, 길이5~7cm, 너비4~5cm이며 3조각으로 갈라져 있는데 가운데 조각이 길고 양 옆의 조각이 짧은 극형(戟形, hastate)이다. 줄기 등엔 잔 가시 털이 있다.

꽃: 꽃은 포, 꽃받침, 꽃잎, 덧꽃부리, 수술, 암술이 있는 완전갖

춘꽃이다. 꽃잎은 하얗다. 덧꽃부리가 햇살 같아 꽃이 활짝 피면 아름답다.

꽃

꽃잎은 5개로 꽃받침과 모양은 비슷하며, 색은 안팎 모두 희다. 크기는 길이1.0~1.5cm, 밑변 너비0.4~0.7cm이고 얇다. 꽃잎은 꽃받침이 딱 붙어 감싸기 때문에 한 몸처럼 되어있어 자세히 보아야 볼 수 있다.

암술은 씨방 위에서 나오며 3갈래, 암술대는 백녹색, 암술머리는 원형이며 연한 녹색에 가깝다. 수술은 5개이고 씨방아래 꽃받침 위 기둥에 붙어 위로 올라온다. 수술대는 백록색, 꽃 밥주머니는 납작한 타원이며 꽃밥과 꽃가루는 노랗다.

꽃받침은 5개로 끝이 뾰족하고 아래 부위가 넓은 긴 삼각형 모양이며 겉은 녹색, 안은 흰색이다. 크기는 길이1.4~1.8cm, 밑변 너비0.5~0.8cm이다. 꽃받침 밑에서 씨방까지 짧은 원기둥은 보라(핑크보라)이다.

덧꽃부리: 꽃잎과 수술 사이에 있는 꽃잎 같은 구조의 덧꽃뿌리(副花冠)가 아름답다.

미녀 속눈썹 같은 덧꽃부리

덧꽃부리는 바늘모양이며, 50~60개가 2줄로 원을 이루어 꽃받침 원기둥 아래 붙어 있다. 1개의 크기는 길이0.9~1.2mm, 지름 1mm미만이다. 덧꽃부리를 통째로 떼어 놓으면 햇살 같고, 펼쳐 놓거나 2~3조각으로 잘라놓으면 영락없이 미녀의 아름다운 속눈썹 같다. 덧꽃부리는 아래 2/3는 보라(핑크보라), 위 1/3은 흰색이다.

포: 포는 3개이며 많은 가시 털 같은 것과 밀선이 얽혀 있는 모습이다. 크기는 길이1.5~2.5cm, 너비1.0~1.5cm이다. 이것은

열매가 익을 때까지 열매를 감싸고 있다가 익으면 시나브로 떨어져나간다.

암술과 수술의 위치 변경: 평소에는 암술이 수술 위로 올라 와 있으나 꽃가루받이를 할 때는 수술이 암술 위로 올라 와 마주본다.

좌-암술이 수술 위

우-암술머리가 수술 아래

꽃 초기에는 암술이 수술 위로 솟아 있으나 꽃가루받이를 할 때는 암술대가 아래로 휘어져 암술머리가 아래로 고개를 숙이고 수술은 조금 위로 솟는다. 그래서 암술이 수술 꽃밥 주머니 아래로 내려가 서로 마주본다. 외설스럽지만 평소에는 여성상위로 지내다 꽃가루받이할 때는 여성하위 자세를 취한다. 암술과 수술이 옆으로 다가가 나란히 서로를 마주보기도 한다. 얼마나 신기한가!

꽃잎이 떨어지지 않아: 꽃가루받이가 끝나도 꽃잎이 땅으로 떨어지지 않는다. 꽃받침이 꽃잎, 덧꽃부리, 수술을 감싸 안쪽으로 말아 압축하여 씨방아래에 붙인다. 그 위에 수정이 된 씨방은 암술대를 달고 뽐낸다. 가시망(網) 투구처럼 생긴 포(꽃싸개)는 이 모든 것을 감싼다. 열매를 해충으로부터 보호하기 위해서라고 생각된다.

그렇게 해서 씨방은 포의 보호를 받고 꽃잎까지 양분 삼아(?) 안전하게 열매와 씨로 성숙한다.

꽃잎, 수술, 덧꽃부리를 꽃받침이 압착하여 말아서 씨방 아래에 붙여놓은 것을 포가 싸고 있음

열매: 열매는 둥글고, 오렌지, 주홍 또는 주황 색이다. 크기는 지름0.9~1.5cm이다. 익어도 껍질이 벌어지지 않는다. 껍질은 0.2mm정도로 얇고 부드럽다. 과육은 적으며 한천 같으며 약간 짠 맛이 난다. 1개 열매에는 10~30개의 씨가 들어 있으며 과육이 씨를 감싸고 있다.

열매

씨: 씨는 아래가 좁은 납작한 사다리 모양이며, 위 끝은 얕게 3갈래로 갈라져 있고 가운데 조각이 조금 크다. 어찌 보면 올빼미가 연상된다.

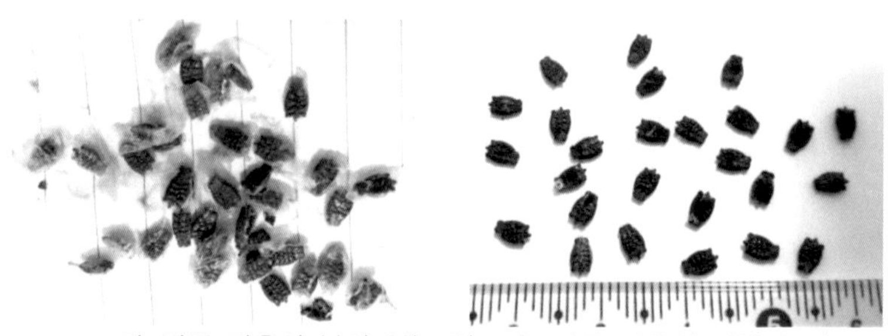

좌-마른 과육이 붙어 있는 씨, 우-마른 과육이 떨어진 씨

씨를 감싼 과육은 마르면 비닐처럼 되어 떨어진다. 크기는 길이 2~3mm, 너비1.5~2.0mm, 두께 0.5mm정도다. 씨는 광택이 없고, 겉은 매끄럽지 않고 곰보 같다. 물에 가라앉는다.

아름다워서 꽃이 좋다. 그런다고 너무 아름다움만 쫓지 말자. 아름다움보다 더 소중한 지혜를 놓치면 후회한다.

니겔라시계꽃은 꽃을 떨구지 않는다. 꽃잎을 떨어뜨리지 않으니 마지막(떠날 때)도 깨끗하고 아름답다. 추정이지만 꽃잎, 수술 꽃받침을 먹으며 열매가 익는다면 그 씨앗(자식) 사랑은 인간의 모성보다 한 수 위가 아닌가? 꽃의 아름다움 못지않게 꽃의 아름답고 깨끗한 마지막 보내기와 씨앗(후손) 사랑도 눈여겨보았으면 한다.

필자 주

1.니겔라시계꽃이라는 한글이름은 공식적인 이름이 아니나 마땅한 이름이 없고 현재 많이 불러지고 있어 사용했다.

2. 베트남 말로는 chùm bao 또는 Lạc tiên라 하며 민간에서는 불면증 치료에 이용한다고 한다.

루엘리아(*Ruellia simplex*)
-땅에 꽂기만 하면 사는 하루살이 꽃

메콩델타에는 루엘리아가 정원은 말할 것도 없고, 가로수 아래 빗물받이의 척박(瘠薄)한 음지에도 많다. 꽃 모양은 나팔꽃을 닮았다. 색깔은 청색과 보라색이며, 아침에 피었다 저녁에 지는 하루살이다. 그러나 꽃은 피어나는 아침엔 물론 생을 마감하는 오후 늦은 즈음에도 여느 풀꽃과 달리 막 단장한 듯 정갈하고 우아하다.

어린 열매는 밑이 완만하고 위가 뾰족한 원뿔이나 총알모양으로 맺히나, 익기 전에 떨어진다. 때문에 익은 열매와 익은 씨를 찾지 못했다. 씨를 보기 어려운 대신에 삽목(插木)이 잘 되어 흙에 꽂기만 하면 잘 산다. 루엘리아가 씨 생산에 목매달지 않는 까닭이다.

루엘리아는 쥐꼬리망초과 풀로 학명은 *Ruellia simplex*, 영명은 Mexican petunia, Mexican bluebell, Britton's wild petunia, Purple shower다. 베트남어로는 Chiều tím이다. 한자로는 紫花蘆利草라고 한단다.

한글이름: 한글이름은 공식적으로 정해진 것이 없어 속명 루엘리아를 한글이름으로 했다. 일부는 우창꽃, 목나팔이라고 부르는 것 같다. 꽃말은 '신비로움', '사랑을 위해 멋을 내는 남자'라고 한다.

한-베 인큐베이터 파크(KVIP) 뜰에 잡초와 어울려 핀 루엘리아 꽃

키와 잎: 루엘리아는 키가 50~100cm인 열대 늘푸른여러해살이풀이다. 잎은 긴 피침형(披針形, Lanceolate)으로 길이15~30cm, 너비1.0~2.5cm다.

꽃: 꽃은 꽃받침, 꽃잎, 꽃술이 있는 양성화다. 나팔 모양의 통꽃(合瓣花)이나 꽃잎 끝은 5개로 갈라져 있다. 크기는 길이6~9cm, 꽃부리(花冠)의 지름4~8cm이다. 색은 청색, 보라, 핑크색이다. 흰색도 있다고 하나 직접 보지는 못했다.

꽃받침은 아래는 붙어 통을 이루나 중간부터 위는 5조각으로 깊게 갈라져 있다. 색은 녹색이다. 크기는 길이1~2cm이다.

꽃술은 암술1, 수술4개인데 긴 것 2, 짧은 것 2개다. 길이는 암술과 긴 수술의 길이는 3~4cm로 비슷하다.

루엘리아 꽃 한 송이는 하루 살지만 꽃은 연 중 핀다. 매일 꽃이 지고 매일 새 꽃이 다시 핀다. 그래서 꽃이 오래 피어 있는 줄로 착각하기 쉽다. 그러나 분명히 꽃 한 송이는 하루만 피어 있다.

꽃에는 넥타(Nectar)가 많아 나비와 곤충이 많이 꾄다.

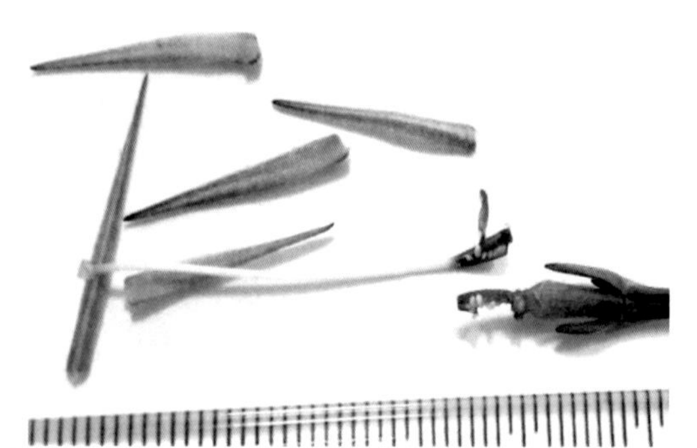

암술이 달린 초기의 어린 열매와 그것을 잘라본 안의 어린 씨, 왼쪽 5개 조각은 꽃받침

열매: 초기의 어린 열매는 밑이 볼록하고 위 끝이 뾰족한 원뿔모양이다. 크기는 길이5~8mm, 지름1~2mm다. 색은 녹색이다. 익은 열매는 발견하지 못했다.

씨: 어린 열매를 잘라 보았더니 십여 개의 씨가 들어 있었다. 이들 씨는 둥글고 희었다. 크기는 지름이 0.5mm미만으로 아주 작았다.

번식: 대부분의 번식은 씨보다는 줄기를 잘라 삽목(揷木)한다. 땅에 꽂기만 하면 잘 살기 때문이다. 삽목 외에 포기나누기(分株)도 하고 뿌리줄기(Rhizome)를 이용하기도 한다. 씨를 심어 번식하는 실생번식(實生繁殖)은 주로 연구를 하거나 씨를 쉽게 구할 수 있을 때 이루어진다.

루엘리아는 생활력과 환경적응력이 강하다. 습지, 마른 땅, 음지를 가리지 않고 잘 자라며, 강한 햇빛과 가뭄도 잘 견딘다. 새로운 지역에 들어가면 자생식물(自生植物)을 몰아내 생태계를 교란하는 골칫거리가 되기도 하는 이유다.

루엘리아꽃은 아침에 피었다가 저녁에 지고 마는 하루살이 꽃이다. 피어 있는 기간이 짧아서 그런지, 벌레를 먹거나 흠이 있는 꽃은 보기 힘들다. 꽃이 떨어질 해질녘이나 다음날 아침이 되면 꽃대가 절로 고개를 숙인다. 그러면 암술과 꽃받침만 남기고 꽃잎 전체가 수술과 함께 통꽃으로 떨어진다. 때문에 꽃이 떨어질 때도 다른 풀꽃들에 비해 싱싱하며 청아(淸雅)하다.

생이 짧아서 더 아름다운 꽃이여! 더 사랑스런 꽃 루엘리아여!

필자 주

1.학명의 속명 Ruellia는 프랑스 식물학자 Jean Ruel를 딴 것이

고, 종명 simplex는 잎이 겹잎이 아닌 단순한 홑 잎에서 유래되었다고 한다.

2.동의어 학명은 *Cryphiacanthus angustifolius, Ruellia angustifolia, R. brittoniana, R.coerulea, R. tweediana, R. malacosperma* 등이 있다.

3.https://gardenerspath.com/plants,https://en.wikipedia.org를 참고 하였다.

일일초(*Catharanthus roseus*)
-꽃술이 안 보이는 등 별난 식물

일일초는 몇 가지 특징이 있다. 꽃이 거의 쌍(雙)으로 피고, 활짝 피어도 꽃술이 안 보인다. 꽃 색깔이 달라도 이름이 같다. 열매가 익어 벌어져도 껍질은 한 조각이다. 끼리끼리는 물론 다른 풀과도 잘 어울릴 줄 안다. 별난 식물이다.

꽃날개(잎)아래 대롱과 쌍으로 달린 덜 익은 열매

일일초는 협죽도과(夾竹桃科, Apocynaceae)식물로 학명은 *Catharanthus roseus*이며 *Vinca rosea* 등 동의어가 여럿 있다. 영명은 Madagascar periwinkle을 비롯하여 Bright eyes,

Periwinkle, Cape periwinkle, Pink periwinkle, Rose periwinkle, Graveyard plant, Old maid가 있다. 베트남어로는 Dừa cạn, Bông dừa, 또는 hải đăng이라고 한다.

학명: 일일초는 꽃 색깔이 달라도 학명이 *Catharanthus roseus* 로 하나다. 한글이름으로 추천된 이름도 일일초 하나다.

식물은 어느 한 부분이라도 색이 다르면 그 특성을 인정하여 이름이 다르기 마련인데 일일초는 꽃 색이 빨강, 연분홍, 진분홍, 하양 등 다르고, 게다가 화심(花心) 색과 무늬모양이 다른 데도 이름은 하나로 같다.

이처럼 꽃 색이 다르고, 화심도 다른 데 이름이 하나로 같은 것은 일일초에 대한 조사시험연구가 충분히 이루어지지 않아 분류가 완전하지 않은 탓으로 나는 추정한다.

형태와 잎 등: 일일초는 키 작은 여러해살이 늘 푸른 풀이다. 허나 여러 해 살면 줄기는 목질처럼 되기도 한다. 키는 40~80cm 다.

잎은 마주 나며, 타원형, 위가 약간 넓은 타원형 또는 가장자리가 완만한 직사각형이다. 주맥이 1개, 측맥이 여러 개 있는 데, 흰색의 맥이 녹색 잎을 돋보이게 한다. 잎의 크기는 길이3.0~10cm,

너비1~3cm다. 잎자루는 1cm정도로 짧다.

흰 꽃과 빨간 꽃이 섞여 무리 지어 있는 모습

꽃: 꽃은 잎겨드랑이에서 1송이가 피거나 2송이가 쌍으로 핀다. 꽃받침, 꽃잎, 암·수술이 있는 완전 갖춘꽃이다.

꽃받침은 아래는 통모양이며 2/3이상은 5조각으로 갈라져 있다. 각 조각은 긴 피침형이다. 색은 녹색이다. 2개 꽃이 쌍으로 피어도 꽃받침은 10조각이 아니고 5조각이다.

꽃잎은 긴 대롱(관)과 그 위에 5개의 위가 넓은 타원형 날개(Petal)로 되어 있다. 5개의 날개는 대롱 위에 원을 이루며 붙어있어 위에서 보면 날개와 대롱의 구멍만 보인다. 암술과 수술은 꽃잎 날개 아래의 대롱 안에 있어 보이지 않는다.

화심 구멍 주위는 날개 색과 다른 무늬가 있어 천천히 자세히 보면 아름답다.

암술은 대롱 속에 있으며 씨방, 암술대, 암술머리로 이루어 졌다. 암술머리는 모래시계모양이라고 하나 작아 확인은 못했다.

수술 역시 대롱 속에 있다. 수술대는 짧고 안쪽으로 굽어 꽃 밥 뒤에 붙는다. 꽃밥은 거꾸로 된 창모양이다. 5개 또는 그 이상이 있다고 하나 꽃잎 날개아래 긴 대롱 안에 있어 확인은 못했다.

익은 열매, 열매껍질과 씨

열매: 골돌과(蓇葖果, Follicle)로 끝이 좁고 뾰족한 둥근 막대나 대롱이다. 초기에는 녹색이고 익으면 갈색, 회갈색, 회색이다. 크기는 길이2.5~3.2cm, 지름1.0~1.5mm다. 1개 열매에는 10여 개의 씨가 들어 있다.

익으면 봉선(縫線, suture)을 따라 한쪽만 갈라진다. 씨가 다 빠지고 나면 껍질은 완전히 펴져서 2조각이 아니라 한 조각으로 보인다.

식물의 열매가 익어 벌어지면 껍질 2조각이 붙어 있는 것처럼 보이는 게 상식이다. 그러나 일일초는 상식을 거슬러 2조각이 붙어있게 보이지 않고 한 조각처럼 된다. 만약 2조각이 붙어있게 보인다면, 일일초 열매는 거의가 쌍으로 달리기 때문에 2개열매가 벌어진 것을 하나의 열매가 벌어진 것으로 착각한 것이다.

껍질은 마르면 겉에 세로 주름이 있고, 나뭇잎 같다.

씨: 씨는 도톰한 타원형 또는 네 귀퉁이가 완만하고 도톰한 직사각형이다. 초기에는 흰색이나 익으면서 연녹색을 거쳐 까맣게 된다. 크기는 길이1.0~1.5mm, 너비0.5mm정도다.

일일초는 홀로보다 여러 그루가 모여 필 때가 좋다. 모여 있을 때는 한 색깔보다 다른 여러 색깔이 섞여 있는 것이 더 좋다. 가장 아름답고 좋아 보이는 것은 일일초만 있는 것보다 색깔이 다른 여러 종류의 풀, 심지어 잡초와 섞여 있을 때다.

필자 주

1.일일초란 국명은 국립수목원 국가표준식물목록에 추천 명으로 되어 있다.

2.일부 자료에 의하면 하루에 한 송이씩 꽃이 피어서 일일초라 했단다. 그러나 이는 잘못이라고 본다. 왜냐면 실제 관찰한 바로는 하루에 한 송이가 아니라 2송이 이상이 피기 때문이다. 그리고 꽃은 한 송이 또는 쌍으로 피지만 쌍으로 피는 것이 일반적이기 때문이다. 그래서 일일초(日一草)가 아니라 일일초(日日草)라 했나 보다.

3.https://en.wikipedia.org,https://pfaf.org/user, http://www.efloraofgandhinagar.in 등을 참고했다.

원추리(*Hemerocallis* spp.)
-꽃은 새끼 꼬듯 지고 씨는 페트병 안에서도 발아해

"아~ 새 싹이다!"

2006년12월에 열매와 같이 채종(採種)하여 페트병에 넣어둔 원추리 씨가 2007년2월에 발아하여 새싹을 냈다. 흙 한줌 없는 빈 페트병 안에서 새 싹이 나다니! 씨의 대단한 생명력에 그저 감탄하고 놀랐다.

패트병 속에서도 발아한 원추리 씨

하도 신기해 발아된 씨를 병에서 꺼내, 보고 또 보고 만지며 관찰했다. 새 싹의 잎은 초록으로 약1cm, 뿌리는 하얗고 약2cm 정도였다.

전에 근무했던 국립르완다대학교 농대에도 원추리가 많이 자란다. 여기서는 원추리를 주로 화단의 경계식물로 키우며 꽃이 피면 꽃대를 다 잘라낸다. 꽃보다 잎의 관상 가치를 높게 보기 때문이다. 그래서 어쩌다

인부들이 빼먹은 꽃대에 노란 꽃이라도 피면 반가워 발걸음을 멈추고 바라보곤 했다.

원추리는 보이는 바와 달리 하루살이 꽃이다. 헌데 꽃이 여러 날 피어 있는 것처럼 보이는 까닭은 꽃 대 하나에 여러 개의 꽃이 날짜를 달리 하여 계속 이어서 피기 때문이다. 속명 *Hemerocallis*가 그리스어 hēmera(Day, 하루)와 kalos(Beautiful, 아름다움)의 합성어인 데서도 하루살이 꽃임이 잘 나타나 있다. 영명도 하루살이 백합(Daily lily)이다.

한글이름: 한글이름 원추리는 속명과는 거리가 멀고, 중국명 훤초(萱草)에서 유래된 것으로 알려져 있다. 훤초가 원초로 변하고, 모음조화에 의해서 원추로 변한 뒤 여기에 리가 붙은 것이다. 산림경제에서는 업나물, 훈몽자회에서는 넘나물(넓나물, 廣菜)로 쓰여 있다.

재미있는 있는 이름은 여인들이 원추리를 가까이 하거나, 원추리 꽃을 머리에 꽂거나 노리개로 차고 다니면 아들을 낳을 수 있다고 하여 득남초(得男草), 의남초(宜男草), 의남화(宜男花)라는 이름이다. 이것은 원추리 꽃봉오리가 아기의 고추를 닮았기 때문이란다.

아들을 낳으니 근심이 사라진다 하여 망우초(忘憂草)라고도 부른다. 망우초라고 불리는 또 다른 이유는 원추리를 무덤가에 심으면 망자(亡者)에 대한 그리움을 쉬 잊을 수 있어서라는 설과 원추리 나물을 많이 먹으면 취하고 의식이 몽롱해져 무엇을 잘 잊어버리기 때문이라는 설이 있다.

어린잎과 꽃봉오리를 나물, 겉절이 같은 요리를 해서 먹으면 여인의 가슴과 오목가슴을 시원하게 트이게 해준다 하여 녹총화(鹿蔥花)와 모애초(母愛草)라고도 불린다. 이 밖에도 원추리 노란 꽃으로 만든 나물을 금침채(金針菜), 황화채(黃花菜), 화채(花菜), 어린 순을 무친 나물을 훤채라고 하며 뿌리를 지인삼(地人蔘)이라고도 한다.

국립종자원 서부지원의 다양한 원추리 재배 품종

원추리는 세계적으로는 약40여 종이 알려져 있고, 우리나라에는 원추리 외에 애기, 노랑, 골잎, 각시, 큰, 왕, 태안, 홍도, 함양, 백운산 원추리 등이 분포한다. 꽃이 아름다워 재배품종이 많이 육종된 결과 세계적으로 등록된 재배품종은 80,000이상으로 알려져 있다.

우리나라에도 재배품종이 많아 서부지원장 때 직접 재배한 품종만 수십 품종이 넘었다. 이들 개량된 재배품종 원추리는 꽃 색이 노랑, 자주, 주홍, 주황, 베이지, 보라 등 다양하고 모양도 꽃잎이 좁고 긴 것, 짧고 넓은 것, 무늬가 있는 것과 없는 것 등 여러 가지다.

열매: 원추리 열매는 둥근 타원형이다. 나리열매와 비슷하나 길이가 짧다. 윗부분은 넓고 아래 부분은 다소 좁다. 3실 6방이다. 색깔은 처음에는 녹색이며 익어갈 수록 연노란 색으로 변한다. 완전히 익어 마르면 갈색, 검은 갈색 또는 회백색으로 된다.

열매

크기는 길이 1.5~4.0cm이고 지름 1.0~2.5cm이다. 광택은 없다. 물에 뜬다.

익으면 열매의 볼록한 부위가 위에서 아래로 내려가며 3조각으로 갈라져 씨가 빠진다. 열매 겉의 골은 갈라지지 않는다.

씨: 씨는 열매 1개에 수십 개씩 들어 있다. 씨는 둥근 타원형이며 검은색으로 윤기가 난다. 길이는 5.0~7.0㎜이다.

씨를 심어서 키우려면 열매가 완전히 익은 때보다 다소 빨리 씨를 받는 게 좋다.

발아(發芽)는 걱정할 필요가 없다. 대기 중에서도 싹이 날 정도로 발아력이 세고 생명력이 강하다. 그저 씨를 흙 속에 심어만 주면 된다. 그러면 씨는 반드시 약속을 지켜 싹을 내고 아름다운 꽃을 피운다.

식물의 꽃이 지는 모습은 다양하다. 벚꽃은 꽃잎을 흩날리며 진다. 동백은 꽃송이가 통째로 툭 떨어진다. 원추리는 그렇지 않다.

식물의 꽃은 아름답지만 떨어지면 대부분 너저분하다. 장미꽃이 얼마나 아름다우냐? 그런 꽃도 떨어지면 지저분함이 느껴진다. 원추리는 그렇지 않다. 원추리 꽃이 지는 모습은 특이하다.

원추리 꽃은 꽃가루받이(受粉)가 끝나면 시들어가는 꽃잎을 가운데로 모은다. 그런 다음 말라가는 꽃잎을 새끼와 반대방향으로 꼰다. 그렇게 해서 따로따로이던 6개 꽃잎(사실은 꽃잎 3, 꽃잎 같은 꽃받침 3)을 엮어

한 몸처럼 만든다. 이 때문에 원추리를 합환화(合歡花)라고도 하는가 보다.

꽃이 새끼 꼬이듯 말리며 말라 떨어짐(르완다대학교)

그런 뒤에도 바로 꽃이 떨어지지 않고 오랫동안 꽃자루에 붙어 있다. 아마도 이것은 딴꽃가루받이(他家受粉)를 막기 위해서인지 모른다.

꽃이 질 때는 말라비틀어진 채로 떨어진다. 마르고 꼬아져서 그런지 깨끗하고 깔끔해 보인다. 꽃의 아름다움은 물론 싱싱함마저 버리고, 몸을 완전히 비운 탓도 있으리라.

원추리는 그저 몇 시간 피었다 지는 꽃이다. 그런데도 꽃이 질 때는 진지하다. 조급해 하거나 나대지 않는다. 방정맞거나 요란하지 않다. 생(生)의 소멸을 받아들이고 아주 서서히 빈 몸을 추스르며 마지막을 준비한다. 버리고 비우기를 거듭한다. 그런 뒤에 미련 없이 순순히 진다. 만약

뜻대로 죽음을 맞이할 수 있다면 원추리 꽃이 지는 모습을 따르고 싶을 정도로 맘에 쏙 든다.

원추리 씨는 한 방울 물도, 한 줌 흙도 없는 대기 중에서 싹을 내고 살 수 있는 강인한 생명력이 있다. 뿐만 아니라 꽃은 차분하고 깨끗하게 순리대로 생을 마감할 줄 안다. 생성과 소멸을 되풀이 하며 대(代)를 이어가는 존재로서 어찌 원추리의 이런 점을 본받지 않을 수 있으랴!

파고다꽃(*Clerodendrum paniculatum*)
-없다는 열매와 씨 찾았다!!!

파고다꽃(탑꽃)은 수술 꽃가루의 높은 불임률 때문에 열매를 맺지 않는 것으로 알려져 있다. 그러나 2018~2019년 베트남에서 나는 파고다 꽃의 열매와 씨를 아주 어렵게 발견했다. 열매는 지름이 4~7mm의 작은 콩알처럼 둥글고 열매에는 1개의 씨가 들어 있다. 신선한 열매는 연푸른 구슬처럼 고우나 마르면 흑갈색으로 겉이 살짝 쭈글쭈글하다. 씨 알갱이는 희다.

파고다꽃은 꿀풀과(Lamiaceae, 옛날엔 마편초과)식물이다. 학명은 *Clerodendrum paniculatum* L., *동의어는 Clerodendrum pyramidale* Andrews 등 8개나 된다. 영명은 pagoda flower이다.

한글이름: 공식적인 한글이름은 없다. 꽃차례가 탑 모양처럼 보여 영어로 널리 pagoda flower으로 불러지고 있다. 한국에서도 많은 한국인이 파고다가 탑이라는 것을 알고서도 일반적으로 파고다꽃으로 불리고 있다. 하지만 필자는 꽃차례 모양이 탑 보다는 횃불처럼 보여 횃불꽃풀로 하고 싶었다. 그러다가 식물이름의 혼란을 피하기 위하여 세계적 대세를 따라 파고다꽃으로 하였다.

형태와 잎 등: 파고다꽃은 열대 여러해살이풀로 키는 1.5m정도며 줄기가 사각형이다. 잎은 4~7조각으로 갈라진 손바닥모양이며 잎자루가 길다.

화단의 큰 나무 아래서 자라는 모습

꽃: 줄기 끝에서 꽃대가 올라와 원뿔모양꽃차례(圓錐花序)로 수백 송이 꽃이 달린다.

꽃은 긴 대롱으로 위 끝이 5조각으로 갈라져 벌어져 있어 긴 나팔 모양이다. 꽃받침과 꽃잎이 융합된 화피로 되어 있다. 색은 빨강, 주황, 주홍이다.

암술1, 수술4개이며 수술이 암술 2배정도 길다. 크기는 화관(꽃부리)은 1cm, 길이는 1.5~2.5cm이다. 수술은 길이 4~6cm며 꽃술 색은 빨강이나 주홍이다.

꽃이 특이한 것은 외관상으로는 수술에 꽃밥도 달렸으나 문헌에 따르면 수술이 불임성이 강하여 꽃가루받이가 이루어져도 불임률이 매우 높은 것으로 알려져 있다. 파고다꽃의 열매와 씨를 보기 어려운 이유다.

꽃

열매: 꽃은 1개 개체에 수백 송이가 피나 열매는 없거나 아주 드물게 몇 개 맺힐 뿐이다. 물론 성숙한 열매가 하나도 없는 개체도 많다.

열매는 초기에는 좁쌀 크기인 0.5~1.0mm의 작은 알갱이 4개가 붙어 위 4곳이 볼록볼록한 모서리가 완만한 네모 모양이다. 이때 크기는 한 변의 길이가 2~4mm다. 색은 연노란 색이다. 이런 어린 열매는 시간이 지나면서 대부분 성숙하지 못하고 그냥 떨어진다. 그래서 열매 보기가 하늘의 별 따기만큼이나 어렵다.

열매가 성숙하면 크기가 커지고 연청색으로 변한다. 물론 이렇게 다소 성숙한 열매도 완전히 익지 못하고 태반이 떨어진다.

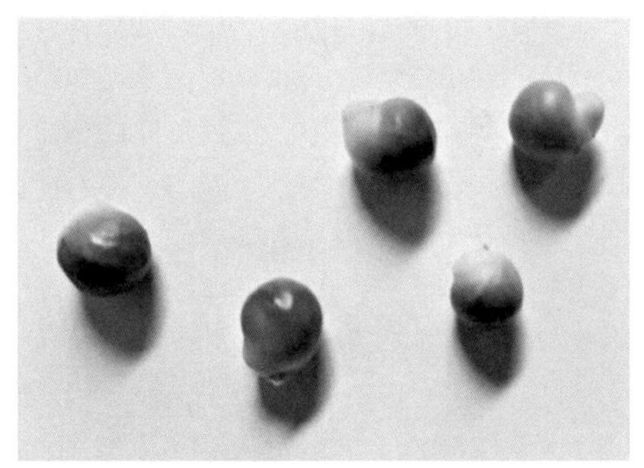

신선한 익은 열매

열매가 완전히 익으면 붙어 있는 4개 알갱이 중 1개만 콩알처럼 둥글게 되고 나머지3개는 퇴화하여 성숙한 열매 아래에 흔적처럼 붙어 있다. 이렇게 완전히 익은 열매는 신선할 때는 파란 구슬 같고 겉은 매끄럽고 윤기도 난다. 그러나 마르면 옅은 흑갈색으로 변하고 겉은 살짝 곰보처럼 된다. 크기는 지름이 4~7mm다.

마른 익은 열매와 그 안의 씨

익은 열매에는 1개의 씨가 들어있다. 씨와 열매는 분리가 잘 안 되어 열매를 씨로 보아도 될 정도이다. 열매껍질은 딱딱하고 1mm정도로 두껍다. 이것을 제거하면 씨가 나온다. 따라서 파고다꽃 열매는 소견과(小堅果, nutlet)로 볼 수 있다.

씨: 씨는 딱딱한 열매 껍질 안에 들어 있으며 둥글고 희다.

번식: 씨가 거의 없기 때문에 번식은 주로 삽목(插木)으로 한다.

약용: 파고다꽃은 동남아에서 민간에서 전통적으로 위장약으로 이용되고 있다고 한다. 그리고 Clerodendrum속(누리장나무속)의 몇 종은 항염증과 항바이러스성이 있다는 연구결과도 있다.

지금 코로나19가 대 유행이다. 코로나19 바이러스 예방과 치료에 파고다꽃 같은 야생식물을 이용할 수 있는 연구가 이루어졌으면 얼마나 좋을까? 하는 생각을 해본다.

없다는 파고다꽃의 열매와 씨를 찾으며 나는 되풀이 되는 일상 속에서도 즐거웠다. 왜냐면 호기심은 관심을 갖게 하고, 관심은 삶에 몰두해서 새로움을 찾게 해주고, 새로움의 발견은 기쁨을 주고, 무미건조할 것 같은 일상에서 그 기쁨을 즐길 수 있었기 때문이다.

필자 주

1.파고다꽃 열매와 씨를 발견하고 기뻐했던 일지는 이렇다.

-2018.12.20: 처음으로 좁쌀보다 다소 큰 4개 알갱이가 붙은 연한 청색 열매를 몇 개 보았다. 놀라고 기뻤다. 그러나 얼마 지나서 가 보았더니 다 떨어지고 없었다. 아쉬웠다.

-2019.06.24~25: 첫 어린 열매를 발견한 약6개월 뒤 다시 좁쌀크기의 4개가 붙은 연노란색의 열매를 몇 개 발견했다. 기뻤다.

-2019.07.10: 좁쌀크기의 4개가 붙은 연노란색 열매와 함께 연청색의 열매도 몇 개 발견했다. 열매가 익어 가면 연노란색이 연청색으로 변한다는 것을 알았다. 물론 크기도 아주 약간 커졌다. 더욱 관심이 커졌다.

-2019.07.12: 다른 개체에서 열매가 콩알만 하게 큰 것을 발견했다. 열매가 보이지 않아 없는 줄 알고 지나치려는 순간 콩나물콩 크기의 둥근 열매가 눈에 띄었다. 가까이 다가가 자세히 보니 익은 열매였다. 그런데 4개가 아니고 1개였으며, 나머지 3개는 퇴화하여 흔적처럼 붙어 있었다. 정말 기뻤다. 관심이 준 선물이었다.

열매를 따서 사무실로 가져와 커피를 타서 마시며 조사도 하고 사진도 찍었다.

-2019.07.29: 조사하고 사무실에 놓아둔 열매를 보니 말라 흑갈색으로 변하고 겉이 살짝 곰보처럼 되었다. 열매가 변화하여 새로워지는 것을 보는 기쁨이 컸다.

2.http://powo.science.kew.org,https://en.wikipedia.org/을참고했다.

꽃, 익은 열매, 잎이 함께 어울려 사는 금비나무

공작실거리나무(*Caesalpinia pulcherrima*)
-식물도 총을 쏘나 봐

탕! 탁~ 딱~

사무실에 갖다 놓은 공작실거리나무 익은 열매가 시간이 지나면서 2조각으로 갈라질 때 난 소리다. 열매껍질이 터지는 힘이 얼마나 센지 갈라진 열매껍질은 공중으로 솟아 날고, 씨는 2m이상 멀리 총알처럼 튕겨 나갔다. 마치 총을 쏘는 것 같았다.

공작실거리나무 꽃은 찬란하다. 그러나 암술은 잘 보이지 않는다. 암·수술 모두 빨갛고 모양이 비슷하여 암·수술 구분이 잘 안 되고, 암술이 긴 수술보다 약간 짧고 꽃가루받이가 끝나면 암술대가 바로 시들기 때문이다.

공작실거리나무는 콩과(Fabaceae)식물로 학명은 *Caesalpinia pulcherrima*, 동의어로는 *Caesalpinia lutea, Poinciana pulcherrima*가 있다. 영명은 peacock flower, red bird of paradise, flower fence, paradise flower 등이 있다. Pride of Barbados(바베이도스의 자존심)라고도 하는 데, 실제로 이 꽃은 바베이도스의 국화(國花)이기도 하다.

형태와 잎: 열대 상록·반상록성 교목이나 관목이다. 키는 2~10m 정도다. 잎은 어긋나며 짝수2회깃꼴겹잎이다. 길이는 20~40cm이며 3~10쌍의 깃모양잎이 깃꼴로 달리며, 다시 작은 깃모양잎은

6~13쌍의 타원형의 소엽이 깃꼴로 달린다. 소엽(小葉)은 길이 15~25mm, 너비10~15mm다.

꽃: 꽃받침, 꽃잎, 암술과 수술이 있는 양성화다.

총상꽃차례로 꽃대길이는 15~30cm며, 아래에서 위로 올라가며 꽃이 피기 때문에 꽃봉오리가 맺혀 있는 위는 좁고 꽃이 활짝 피는 아래는 넓어 전체는 원뿔형으로 보인다.

꽃받침은 5개이며, 긴 타원형이나 네 모서리가 둥그런 직사각형으로 길이1.0~1.5cm, 너비2.5~3.5mm다. 색깔은 빨강, 오렌지, 주홍색이다.

꽃

꽃잎은 5개이나 1개는 아주 작다. 모양은 4개는 아래가 좁고 위

가장자리가 물결모양인 부채꼴이지만 작은 것은 가늘고 긴 나팔모양이다. 크기는 길이1.5~2.0cm, 너비0.8~1.2cm이고, 작은 것은 길이는 큰 것과 비슷하거나 약간 짧고 너비2~3mm다. 색은 위 가장자리는 노랗고 나머지는 빨갛다. 그러나 전체가 빨갛기도 하고, 빨강, 주황, 주홍이 섞여 있기도 하다.

꽃술은 암술1, 수술10개이며 모두 빳빳한 빨간 실 같다. 수술 꽃밥은 노랗고 꽃가루가 빠지면 검게 된다. 길이는 4~6cm이고, 암술이 약간 짧은 편이다. 암술대는 꽃가루받이가 끝나면 바로 시들어버리고, 수술 역시 말라 비틀어 없어지면서 꽃 가운데에 짧고 납작한 녹색(녹회색)의 씨방이 드러난다. 이런 특성 때문에 암술이 잘 보이지 않는다.

꽃술 색은 꽃잎 색과 같은 경향이다. 꽃잎이 노라면 꽃술도 노랗다.

꽃가루받이는 나비, 나방, 곤충, 벌에 의해 이루어지기도 하나 벌새와 같은 새에 의해서도 이루어진단다. 그뿐 아니라 이런 방법으로도 수분(受粉)이 안 되면 자가수분도 한다고 알려져 있다.

열매: 납작한 꼬투리열매로 길이5~12cm, 너비1.2~1.6cm, 두께1.5~2.5mm다. 색은 초기에는 녹색이고 익으면 흑갈색, 갈색, 흑색이다. 씨는 열매 속에 양쪽 맥에 번갈아 가며 붙어서 가로로 누워 들어 있다. 익으면 2조각으로 갈라지면서 3~10개의 씨를 내 보낸다.

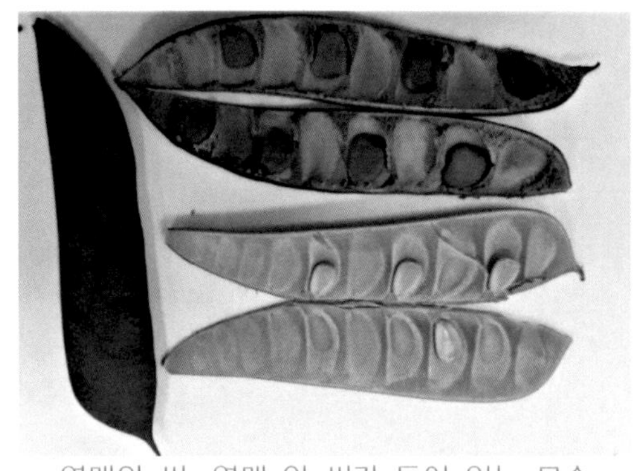

열매와 씨, 열매 안 씨가 들어 있는 모습

익은 열매는 완전히 마르면 2조각으로 쪼개지는 데, 이때 마치 총이나 딱총 쏘는 소리가 난다. 그리고 벌어지는 힘이 엄청 커서 벌어진 껍질은 허공으로 솟아 날아가고 씨는 2m이상 멀리 튕겨 나간다. 이것은 발이 없는 식물이 후대에 좋은 환경을 물려주기 위해 창안해낸 이동 방법이다. 나무에 매달린 열매는 물론 땅에 떨어져서도 껍질이 벌어지는 힘으로 씨를 멀리 쏘아 보내는 것은 마찬가지다.

씨: 모양은 위(열매의 맥에 붙은 부위)가 약간 좁고, 아래가 넓은 납작하고 도톰한 타원형이다. 크기는 길이6~9mm, 너비4~6mm, 두께1~1.5mm다. 색은 초기에는 녹색이고 익으면 갈색, 암갈색이다.

공작실거리나무 꽃은 굽 낮은 접시 모양을 한 빨강과 노랑 꽃잎 위로 나비 안테나처럼 여러 개의 빨간 꽃술이 위로 길게 솟아 펼

쳐있다. 게다가 샛노란 꽃밥이 수술 끝에 매달려 아침햇살이 비칠 때 보면 꽃이 아름답다는 탄성이 절로 나온다.

이처럼 아름다운 꽃과는 달리 나무엔 독성이 있어, 미국 인디언이나 흑인 노예들은 낙태나 자살을 위해 이 나무를 전통적 민간약제로 사용했단다. 사람뿐만 아니라 식물도 외모만 보고 평가해서는 안 되는 이유다.

모든 생명체의 대를 잇고 싶은 욕망은 한결같다. 그런데 공작실거리나무의 종족보존능력은 가히 천하제일이다. 왜냐면 벌, 나비는 물론 새까지 이용해서 꽃가루받이를 하고, 이것도 안 되면 자가수분까지 한다니 그렇다.

필자 주

1.공작실거리나무는 산림청 국립수목원 국가표준식물목록의 추천명이다.

2.속명 *Caesalpinia*는 1791년에 스위스 식물분류학자인 Olof Swartz가 이태리의 식물학자, 철학자 겸 의사인 Andrea Caesalpinio(Caesalpino)를 기념하기 위하여 붙인 이름이다. 원래 속명은 Poinciana였는 데, 이것은 1694년에 프랑스 식물학자 Joseph Pitton de Tournefort가 Saint Christopher 섬의 총독이었던 Poincy의 슈발리에 인 그의 동료 Philippe de

Lonvilliers 장군을 기념하기 위하여 지어졌다. 종명 Pulcherrima는 아름다움(Beauty, Most beautiful)을 뜻하는 라틴어 Pulcher에서 유래되었다.

3.공작실거니나무는 영국 왕립원예협회 정원 공로상(Royal Horticultural Society's Award of Garden Merit)을 받았다.

4.https://en.wikipedia.org,https://www.cabi.org,

http://www.biology-resources.com,
https://apps.cals.arizona.edu 를 참고했다.

금비나무1(*Cassia fistula*)
-자식사랑 눈물겹고 꽃·잎·열매 어울려 살아

금비나무는 낙엽이 지는 열대 활엽수다. 금비나무의 자식사랑은 눈물겹다. 꽃가루받이가 끝나도 꽃잎은 떨어지지 않고 오래도록 살아 있다. 어린 열매에 가까이서 조금의 양분이라도 더 공급해주기 위해서다.

금비나무는 콩과식물로 학명은 *Cassia fistula*, 영명은 golden shower, purging cassia, indian laburnum, pudding-pipe tree, 베트남어로는 Muồng hoàng yến이다.

한글이름: 우리말로는 황금소나기나무라 부르는 몇 자료가 있을 뿐 공식적인 이름은 없다. 국가생물종지식정보 시스템에도 이 나무에 대한 자료가 없다. 그래서 나는 영어이름에 어울리고 나무의 특성을 살리며 부르기 쉬운 "금비나무(金雨樹나 金雨木)"라고 이름 지었다.

형태: 금비나무는 열대활엽수로 낙엽이 진다. 키는 5~15m로 중간큰키나무(中喬木)의 관상수(觀賞樹, Ornamental tree)다. 태국어로는 라차프륵(Ratchaphruek)이라 하며 왕실을 상징하는 국화(國花)와 국목(國木)이다. 인도, 스리랑카와 동남아 등에서는 불교를 상징하는 꽃으로 알려져 있다.

잎: 잎은 대체로 꽃이 핀 뒤에 돋아난다. 짝수깃꼴겹잎이며 3~8

쌍의 넓은 타원형 작은 잎(小葉)이 마주 난다. 열대나무인데도 낙엽이 진다.

꽃: 잎보다 꽃이 먼저 핀다. 꽃차례는 늘어진 총상꽃차례로 꽃이 어긋나 달리고 꽃대축 길이가 20~60cm나 된다. 노란 꽃이 활짝 피어 가지에 늘어져 있을 때는 금발을 드리운 듯, 금비가 오는 듯 보이는 이유다.

발처럼 늘어뜨려진(垂簾) 꽃 무리

꽃은 꽃잎, 수술, 암술, 꽃받침이 있는 갖춘양성꽃(完全兩性花)이고 꽃부리 길이는 4~7cm다.

일부 콩과식물 꽃과 달리 기(旗, Banner))꽃잎이 다른 꽃잎에 비해 크지 않고 유인색소(유인문양)도 없다. 이는 꽃 자체가 아름답고 꽃이 무리로 피어 벌레를 유인할 다른 수단이 더 필요 없기 때문이다. 다만 수술을 여러 개 만들어 크기를 달리하며 작은 수술을 꽃 중심에 놓고, 암술과 수술 색을 달리한다. 또한 꽃가루가 있는 수술3개를 암술길이와 비슷하게 하여 벌레가 찾아오면 꽃가루받이를 정확히 할 수 있도록 꾀를 부리고 있다.

수정이 끝나 수술은 떨어지고 꽃잎과 암술 등이 남은 꽃

금비나무의 자식(열매와 씨)사랑은 애잔하다. 꽃가루받이가 끝나면 곧 수술은 떨어진다. 그러나 꽃잎은 그 뒤에도 오래까지 황금빛 찬란하게 살아가고 있다. 꽃잎으로라도 탄소동화작용을 하여 몇㎍의 양분이라도 어린 열매와 씨에 공급해주려고 무던히 애쓰기 때문이라고 본다.

꽃의 부분별 자세한 내용은 아래 표와 같다.

꽃의 부분별 설명

	색	개수	모양	크기(cm)	비고
꽃잎	노랑	5(기1, 날개2, 용골2)	넓은 타원형	길이 1.8~3.5 너비 1.5~2.5	.꽃잎은 수술이 떨어진 뒤에도 달려 있음 .기꽃잎: 유인무늬 없고 다른 꽃잎과 크기 비슷
암술	녹색	1	물음표, 굵은 낚시바늘	길이 4~6 지름 0.1~0.2	암술머리(Stigma)가 뚜렷하지 않음
수술	노랑	10	대(3): 암술과 비슷함 소(7):적게 휨	길이 4~6 지름 암술과 비슷 길이 0.7~2.2	.작은 수술은 꽃가루 없는 헛수술로 추정 .꽃잎보다 빨리 떨어짐
꽃받침	노랑+ 연녹색	5	둔한 타원형	길이 0.8~1.2 너비 0.4~0.6	
꽃자루	녹색	1	끝이 무딘 핀	길이 5~10 지름 0.2~0.3	어긋나기

금비나무가 낙엽수임을 몰랐을 때였다. 잎이 다 떨어진 금비나무를 보고 죽은 나무려니 하고 아무 관심 없이 지나쳤다. 그런 뒤 얼마쯤 지났을까?

그렇게 죽었을 거라 생각하고 관심 밖으로 내팽개쳐진 나무에 노란 꽃이 피기 시작했다. 이어 한 줄 두 줄 길 다란 꽃 이삭이 늘어나고 띄엄띄엄 초록의 새순과 새 잎들이 돋아났다. 얼마 안지나 나무 전체는 노란 꽃과 초록 잎으로 뒤 덮였다. 그 사이사이를 길 다란 검은 열매가 비집고 숨바꼭질 하듯 덩달아 즐거워했다.

꽃, 익은 열매, 잎이 함께 어울려 사는 금비나무

꽃잎이 떨어진 나무 아래는 금 파편(破片)을 뿌려놓은 듯 했다. 꽃과 잎과 열매가 조화롭게 어울려 사는 금비나무가 부러웠다.

필자 주

1. https://en.wikipedia.org를 참고했다.

금비나무2(*Cassia fistula*)
-열매는 긴 소시지 모양, 수십 개 칸에 씨를 품다

식물은 꽃만 보고는 열매나 씨의 모양을 가늠하기가 어렵다. 금비나무는 더욱 그랬다. 꽃은 금비가 내리는 듯, 금발을 드리운 듯 아름다웠지만 열매는 아주 딴판이었다. 볼품도 멋 데기도 전혀 없었다.

열매는 30~70cm의 긴 막대기나 긴 소시지 모양이다. 열매 안에 가로로 수십 개의 칸이 있고, 한 칸에 하나씩 씨를 품는다. 씨는 검은 고약(膏藥)같은 점액질(粘液質)의 열매살(果肉)에 싸여 있다. 씨는 납작하고 도톰한 타원형이며 적갈색이다.

열매: 열매는 둥근 긴 막대기나 마른 긴 소시지를 닮았다. 크기는 길이30~70cm, 지름1.5~2.0cm이다. 색은 초기에는 녹색이나 익으면 흑갈색, 갈색, 흑색이 된다.

잎이 다 떨어진 앙상한 줄기와 가지에 긴 열매가 주렁주렁 달려 있는 모습을 보면 길고 가는 소시지를 치렁치렁 걸어 말리는 모습이 연상된다. 중국에서 금비나무를 납장수(腊肠树), 즉 소시지 나무라고 부르는 이유를 알 것 같았다.

특이한 점은 다른 콩과 식물 열매와 달리 익어도 벌어지거나 갈라지지 않는다. 벌어지지 않은 채 바닥에 떨어지면 껍질이 부서지기도 하고 비에 젖어 썩어 터지거나 벌레가 먹거나 하면서 씨가 밖으로 나온다. 익은 열매껍질은 딱딱하고 두드리면 부서진다.

금비나무에 달려 있는 열매들

초기에 덜 익은 열매 안의 물질은 습하며 질기지만 끈적이지 않고 색은 노랗거나 진한 주황색이다. 그러나 익으면 검고 끈적거리는 점액질(粘液質)로 변한다. 몹시 끈적끈적하다. 고약 같다.

익은 열매 안에는 가로로 너비2.5~3.5mm 크기의 수십 수백 개 칸이 만들어져 있고, 각 칸에 1개의 씨가 고약 같은 끈적끈적한 흑색물질에 싸여서 들어 있다. 열매가 부서지면 칸을 만들고 있는 칸의 막(膜)이 껍질 안에서 떨어져 나오는데, 막은 두께가 1mm도 안 되는 얇은 원판(동전)모양이다. 1개열매에는 보통 50~150

개의 칸이 있다.

익은 열매, 그 안의 칸,검은 물질, 칸막, 씨 등

씨: 씨는 납작 도톰한 타원형이다. 크기는 길이6~10mm, 너비 4~5mm, 두께2~3mm다. 익지 않은 초기 씨는 흰색이며 겉이 매끄럽고 부드러우나 익으면 적갈색, 흑적갈색이 되고 딱딱하고 단단하다.

금비나무 씨

익은 열매에 들어 있는 작은 물체(씨)를 둘러싸고 있는 흑색 점액질을 제거하면 씨가 나온다. 물기가 있을 때의 씨는 윤기가 나나, 마르면 윤기는 없어진다.

금비나무가 씨 하나하나를 검은 점액질로 싸고 있는 것은 씨를 벌레의 침입으로부터 보호하기 위함이다.

씨는 동물에 의해서 퍼뜨려진다고 한다. 황금 자칼(Golden Jackal)이 열매를 먹고 옮겨 다니며 똥을 누면 씨가 배설물에 섞여 나와서 확산되는 것으로 알려져 있다.

다른 한 가지는 빗물에 의한 이동이다. 내가 관찰한 바로는 떨어진 열매 껍질이 썩거나 부서져 씨가 나오면, 씨 단독으로나 열매가 빗물 등에 의해 떠내려가는 방법으로 이동하였다. 열대에서는 비가 많이 오는 우기에 씨나 열매가 빗물에 씻겨 실개천을 따라 이동할 수 있다.

금비나무가 낙엽 지는 나무임을 몰랐을 때는 앙상한 금비나무를 보고 '나무가 죽었구나.'라고 생각했다. 그런데 아무것도 붙어있지 않고 말라 죽어 보이는 금비나무 아래에 낙엽이 많이 널려 있었다. 때가 되어 금비나무에서 떨어진 낙엽들이었다.

수북이 쌓인 낙엽을 밟으며 걸어 보았다. 30℃를 오르내리는 무더

위와 따가운 햇살 탓인지 한국에서의 가을정취를 전혀 느끼지 못했다.

오히려 30℃를 넘는 폭염 속에서 만난 낙엽 길은 오히려 피하고 싶었다. 사색이니 낭만이니 센치함이니 등은 생각조차 안 났다. 그런 생각을 한다면 오히려 그것은 사치나 군더더기 아니면 미친 짓으로 조롱거리만 될 상 싶었다.

인간의 감정은 기후, 주변 환경, 앎의 정도 등에 크게 영향을 받았다. 환경이 살기에 알맞아야 인간은 더 많은 사물과 삶을 즐기며 사색과 낭만에 빠지는 것이 분명했다.

낙우송(*Taxodium distichum*)
-생명의 소중함을 깨우쳐 주는 나무

나무줄기는 땅 위로, 뿌리는 땅속으로 자란다. 이것이 자연의 섭리(攝理)다. 그런데 하노이의 대통령궁과 호치민 생가가 있는 유적지에는 뿌리가 땅 위 하늘로 자라는 나무가 있다. 낙우송(落羽松)이라는 나무다. 찾아오는 수많은 사람들에게 말없이 생명의 소중함을 깨우쳐 주고 있다.

호치민 생가 유적지에 땅 위로 자라는 호숫가 낙우송 뿌리

호치민 생가 옆에 아름다운 호수가 있다. 호치민 생가를 구경하고 나와 호수다리를 건너가면 호숫가에 아름드리 큰 나무들이 있다. 나무아래 물가에 수백 개의 작은 돌탑 같은 것이 즐비하게 늘어서 있다. 낙우송 나무의 뿌리다. 나무뿌리인데도 보란 듯이 자연의 섭리를 거스르고 땅 위로 자라고 있다.

낙우송은 북미가 원산지이다. 열대지역에서는 침엽수이기 때문에, 온대지역에서는 침엽수이지만 낙엽성이기 때문에 사랑을 받는다. 학명은 *Taxodium distichum* (L.) Rich, 영명은 Deciduous Cypress, 베트남이름은 Bụt Mọc이다. 관광안내 전단지(Leaflet)에는 부처나무(Buddha tree)로 되어 있다.

그럼 왜 호치민 생가 유적지의 낙우송 뿌리는 땅 위로 자랄까?

낙우송이 물가와 습지에서 자라기 때문이다.

낙우송이라고 모두 뿌리가 땅 위로 자라지 않는다. 물가가 아니고 배수가 잘 되는 사양토(砂壤土)에서 자라는 낙우송은 뿌리가 일반 나무처럼 땅속으로 자란다. 그러나 하노이 호치민 유적지와 같이 낙우송이 물가에서 자라면 틀림없이 뿌리가 땅 위로 하늘을 향해 자란다.

왜 그럴까?

이유는 낙우송이 살아남기 위해서다. 생명을 유지하기 위해서다.

나무도 살기 위해서는 산소가 필요하다. 그래서 호흡을 하여 산소를 얻는다. 나무의 호흡은 잎이 무성한 때는 주로 잎과 줄기에서 이루어진다. 그러나 잎이 진 뒤에는 줄기와 가지 그리고 뿌리로 호흡을 한다.

그런데 물가나 습지에 사는 낙우송은 뿌리로 호흡하여 필요한 산소를 얻기가 어렵다. 습지나 물밑 흙에는 토양공극(土壤孔隙, Soil pores)이 적어 산소가 일반 흙 속보다 많이 적기 때문이다. 그래서 사는 데 필요한 산소를 더 얻기 위하여 뿌리를 물밑이 아닌 곳으로 뻗고, 그것으로도 안 되면 자연의 섭리마저 거스르며 뿌리를 땅 위로 내밀어 자라 산소를 얻는다.

한국에서 자라는 낙우송 열매

아주 작지만, 하늘의 이치마저 거역하며 땅 위로 올라와 하늘을 향해 아주 마디고 더디게 자라는 낙우송의 뿌리를 보면서 중얼거렸다.

"그래 맞아.

생명보다 귀중한 것은 없다. 세상을 다 얻고 생명을 잃으면 무슨 소용이 있으랴! 사는 것만큼 아름답고 황홀한 것은 없다.

말 못하고 걷지도 못하는 나무까지도 오직 하나 살아남기 위하여 자연의 섭리를 거스르기까지 하는 것을 보라. 가진 게 적고 살기가 좀 팍팍하면 어떠랴! 주어진 여건을 받아들이고, 살아 있음에 고마워하고 즐겁게 열심히 살자!

아자~ 아자~"

호치민 생가 유적지를 구경하고 나왔다. 생명을 지키기 위하여 자연의 섭리마저 거역하는 낙우송의 돌탑 같은 뿌리가 눈에 아른거렸다. 하노이와 사람, 그리고 돌멩이들까지 더 소중하고 아름다워 보였다.

노란살구꽃1(*Ochna integerrima*)
-열매의 다양한 변신은 무죄

베트남엔 노란살구꽃이 있다. 관목이나 키 작은 나무며 분재로 많이 키운다. 꽃은 노랗고 씨는 까맣다. 꽃 하나에 여러 개의 씨가 꽃턱(花托)가장자리에 빙 둘러서 달린다.

꽃턱은 빨갛고 둥글며 볼록하다. 씨가 떨어지거나 두세 개 붙어있으면 수염 같은 수술대와 어울려 귀엽기도 하다. 얼핏 미키 마우스를 연상케 하기도 한다. 보고 있노라면 웃음도 나고 신기해 보이기도 한다.

꽃이 만개한 노란살구꽃 나무

노란살구꽃은 오크나과(Ochnaceae)에 속하는 열대식물로 학명은

*Ochna integerrima*이며, 영명은 yellow apricot flower, yellow Mai flower다. 베트남어는 mai vàng, hoàng mai, mai hằng이다.

한글이름: 아직 공식적인 한글이름은 없고, 학명을 소리 나는 대로 오크나 인테게리마로 부르고 있다. 그런데 이 보다는 꽃모양이 우리에게 친근한 살구꽃과 닮고, 노란 색이며, 영어로 yellow apricot flower라 부르고 있어 필자는 노란살구꽃이라 했다.

형태와 잎: 열대 낙엽성 관목이나 키 작은 나무다. 잎은 아래는 쐐기형(Cuneate)으로 긴 타원형이며 어긋난다. 어린 새잎은 주홍이나 적갈색에 가깝지만 자라면서 녹색으로 변한다.

크기는 길이 4~7cm, 너비2~3cm다. 노지에서도 잘 자라지만 분재가 더 많다. 대형 분재는 집 앞 길, 소형 분재는 집안에 둔다.

꽃: 꽃받침, 꽃잎, 암술, 수술이 있는 갖춘꽃이다. 꽃받침은 5개이며 긴 타원형이다. 색은 연녹색이다.

꽃잎은 5개이나 자료에 의하면 산에서 자라는 야생은 5~9개, 재배품종에 따라 10개이상도 있다. 모양은 아래가 좁고 긴 원형이나 타원형이다. 색은 노랗다.

크기는 길이1.5~2.5cm, 너비1~2cm다. 꽃잎은 거의 포개지지 않고 맞닿는 모양이다.

가까이서 본 꽃

암술은 여러 개의 씨방이 꽃 턱을 빙 돌아가며 융합되어 붙어 있으나 연 노란색 암술대는 하나이며, 길게 수술 위로 솟아 나 있고, 암술머리는 눈으로는 약간 뭉뚝한 하나의 점으로 보인다. 수술은 여러 개며 초기에는 모두 노랗다가 꽃밥이 터질 무렵엔 주홍색이나 적갈색이다.

열매: 열매는 붉고 가운데가 볼록한 둥근 꽃턱 가장자리에 씨가 빙 둘러 달려 있다. 익은 씨는 많게는 15개까지 달린 것을 보았으나 보통은 1~7개가 달린다.

열매가 익어도 암술대와 수술대, 꽃받침이 달려 있는 게 특이하다. 그래서 검은 씨 두세 개가 붉은 꽃턱에 달려 있는 모양은 얼핏 보면 원숭이와 미키 마우스를 연상케 한다.

좌-미키마우스 같은 익은 열매, 우-덜 익거나 익은 씨의 위치에 따라 달라 보이는 열매

씨: 씨는 적게 달린 경우는 원형에 가깝고, 여러 개가 빽빽이 달려 있는 경우는 약간 눌러 놓은 팥이나 모서리가 완만한 도톰한 직사각형이나 타원형이다. 초기에는 녹색이며 익으면 검다. 크기는 둥근 것은 지름4~7mm, 직사각형(타원형)은 길이5~8mm, 너비4~5mm, 두께3~4mm다.

노란살구꽃은 꽃의 아름다움에 더해 씨가 달리는 수와 위치에 따라 열매가 모양을 변신하여 호기심을 자극한다.

게다가 씨가 떨어진 자국, 생기다 만 좁쌀만 한 씨 흔적, 수염을 방불케 하는 수술대, 빨간 원형의 꽃 턱과 그 가운데 솟아 있는 암술대, 삐죽하게 젖혀져 있는 꽃받침에 따라 열매는 보는 사람을 웃기기도 하고 신기하게 보이기도 한다. 노란살구꽃 열매의 변신은 다양하며, 저마다 특색이 있다.

필자 주

1.암술대는 씨방기생암술대(Gynobasic style, 子房基生花柱)로 심피는 물론 꽃턱에까지 부착되었다.

2.Identification of Vietnamese Ochna integerrima (Lour.) Merr Species Based on Ribosomal DNA Internal Transcribed Spacer Sequence (ILNS. Vol. 68, 2018)에 따르면 베트남에는 노란살구꽃 품종(Variety)이 21개다.

3.https://en.wikipedia.org,https://frustratedgardener.com,https://articles.vinacircle.com 를 참고했다.

노란살구꽃2(*Ochna integerrima*)
-베트남인이 뗏 명절에 꼭 갖고 싶어 하는 꽃

베트남도 한국 설과 같은 뗏(Tết)이 있다. 뗏은 음력1월1일이며, 베트남 최대 명절로 일주일정도 쉰다. 이때 베트남 거리는 물론 집 안까지 온통 노란살구꽃 세상이다. 생화를 구하지 못하면 조화(造花)라도 거실에 장식해 놓는다. 베트남인은 노란살구꽃이 새해의 액운을 막아주고 행운을 가져다 준다고 믿기 때문이다. 이러한 믿음은 이 꽃과 관련된 전설의 영향이 크다.

노란살구꽃에 얽힌 전설

옛날 어느 시골마을에 Mai라는 사냥꾼의 딸이 살았다. 마을에 괴물이 나타나자 사냥꾼 아버지와 딸이 괴물을 죽이고 마을 사람을 지켜주자 부녀의 용맹이 주위에 알려졌다. 그런 뒤 뱀 모양의 괴물이 다른 마을에 나타났고, 그 마을 사람들이 소녀 집에 찾아와 그 괴물을 물리쳐주기를 간청했다.

Mai 어머니는 남편과 함께 괴물과 싸우러 가는 딸에게 아름다운 노란 옷을 입혀주며 괴물을 물리치고 집에 올 때 반드시 그 옷을 입고 오라고 했다. 그런데 Mai는 괴물을 쓰러뜨려 아버지와 마을 사람들을 구했지만 아쉽게도 괴물의 꼬리에 감겨 죽었다.

Mai의 희생과 용맹에 감동한 옥황상제가 음력 새해에 매년 9일간 그녀를 고향집에 보내주다가, 그녀의 부모가 죽은 뒤엔 그녀의 집 앞에 나무가 되어 아름다운 노란 꽃을 피게 했다. 마을 사람들은 그 나무 꽃이 노란 옷을 입은 Mai가 환생한 것으로 믿고 그녀를 기리기 위해 그 나무 가지를 꺾어 집 앞에 심기 시작했다. 그래서 이름도 Mai flower(Mai vàng, hoàng mai, mai hằng) 라고 했다.

노란살구꽃 을 소재로 한 껀터시의 새해 축하 꽃탑 등(2018.02.10)

이렇게 베트남인이 음력 새해엔 Mai 꽃(노란살구꽃)을 집 안팎에 심거나 장식하는 풍습이 세월이 흐름에 따라 전통이 되었다. 베트남 북부는 노란살구꽃 대신에 붉은복숭아꽃(紅桃花)을 더 선호하는 게 남부와 다르다.

노란살구꽃이 지닌 의미

.꽃잎 5개는 각각 장수, 부귀, 평화, 건강, 애정을 뜻한다.

.베트남인은 노란색은 행복, 행운, 번영을 가져다 주는 것으로 생각한다.

그래서 집안 거실에는 노란살구꽃 화분을 놓고, 그 가지에 소원을 비는 리본을 단다. 그 리본에 쓰는 내용은 Chúc mừng năm mới(새해 복 많이 받으세요), vạn sự như ý(소원성취하세요), Thượng lộ bình an(무사 태평하세요) 등이다.

껀터 가정 거실의 노란살구꽃 화분과 소원리본(2018.02.13)

노란살구꽃 문양의 활용

꽃 전체가 5각형 모양인데(한국 무궁화 문양과 비슷함), 이런 문양을 노랗게 만들어 거리 조명탑 등의 조명장치나 광고판 등에 설치, 건물 벽과 유리창 등에 붙이기, 행사장이나 집안의 장식에 사용한다.

장식용 노란살구꽃 문양을 만드는 장면(2018.01.28)

노란살구꽃은 뗏 명절에 베트남인이 가장 귀하게 여기며, 가장 갖고 싶어 하는 꽃이다. 생화를 갖기 어려우면 조화라도 만들어 집에 장식한다.

베트남에 오토바이보다 많으며 국민에게 더 사랑 받는 게 있다면 그것은 노란살구꽃이다.

필자 주

1. https://www.facebook.com/vlstudies를 참고했다.

미모사피그라(*Mimosa pigra*)
-브로치 닮은 열매송이, 열매는 껍질에 씨를 싸서 조각나 떨어져

멋모르고 관찰하다가 작은 나무가시에 찔려 크게 고생한 일이 있었다. 나중에 알고 보니 그 나무는 세계에서 가장 나쁜 100대 침입 종의 하나인 미모사피그라 였다.

열매송이는 브로치(Brooch)처럼 보이나 껍질엔 가시가 빽빽이 나 있어 주의해야 한다. 열매뿐만 아니라 줄기, 가지, 잎 등 나무전체에 날카로운 가시가 도사리고 있다.

열매가 익으면 껍질로 씨를 감싸 안은 채 조각조각 끊어져 바닥으로 떨어진다. 열매가 떨어질 때 열매를 빙 둘러싼 맥(脈)은 그대로 나무에 달려 있다. 그 모습 역시 브로치 같다.

가시투성이 열매껍질이 씨를 품고 조각이 나 떨어지는 것은 짐승이나 벌레로부터 씨를 보호함과 동시에 물에 뜨거나 동물의 몸에 달라붙어 멀리 이동하는 것을 돕기 위함이다. 씨는 대체로 검고 납작한 긴 타원형이다.

2017년10월23일이었다. 베트남 껀터에서 활동한지 2달이 조금 넘은 때였다. 근무하는 한-베인큐베이터파크 주변을 산책하였다. 아카시나무 어린 것으로 보이는 식물에 브로치처럼 보이는 것이 보여 아무 거리낌 없이 만졌다. 그러고 나자 손이 아프고 따가웠다. 여름 날씨라 반소매 옷을 입은 탓으로 팔도 언제 가시에 찔

렸는지 피가 났다. 전혀 예상치 못한 사태가 벌어진 셈이다.

관찰하던 것을 멈추고 곧장 사무실로 와 비눗물로 씻고, 피가 나는 팔엔 소독약을, 손에는 버물러를 발랐다. 손가락에는 아주 작은 가시가 박혀 있기도 해서 하나씩 뽑아내기도 했다. 다행히 시간이 지나면서 통증은 사라지고 피도 멈추었다.

이런 일이 있은 후엔 이 식물은 조심해 가며 사진도 찍고 관찰도 했다. 식물관련 자료를 찾아보니 나에게 아픔을 준 이것이 미모사피그라임을 알았다.

미모사피그라는 콩과 식물로 학명은 *Mimosa pigra*, 영명은 mimosa, giant sensitive plant, bashful plant, cat-claw mimosa, black mimosa, 베트남명은 Cây Mai Dương 이다.

한글이름: 공식적인 한글이름은 없다. 그런데 *Mimosa pudica*가 한국에서 미모사로 잘 알려져 있는 반면에 미모사피그라는 학명이지만 부르기 쉬워 나는 "미모사피그라"로 이름 지었다. 앞으로 식물명명 관련기관에서 공식적인 이름이 나왔으면 한다. 이때 "미모사피그라"는 미모사보다 큰 나무이기 때문에 "큰 미모사" "미모사나무", 아니면 건드리면 잎이 오므라드는 등 예민한 반응을 하는 나무이므로 "신경나무" 중 하나로 이름 지어도 좋을 것 같다.

형태와 잎: 높이 2~5m의 관목(Shrub)이다. 몸 전체에 끝이 날카롭고 굽은 가시가 있다. 잎은 2회짝수깃꼴겹잎이며, 길이는 15~25cm다. 여기엔 10~15쌍의 1차 잎이 마주나 있다. 1차 잎은 길이 5~10cm이며, 여기에 길이1cm미만의 작은 2차잎이 20~30쌍 붙어 있다.

잎은 민감해서 건드리면 움츠려 접어진다. 해질녘부터는 스스로 오므라들기도 한다.

잎과 덜 익거나 익은 열매

꽃: 머리모양꽃차례(頭狀花序)로 지름1cm정도의 공 모양 꽃턱에 70~120개의 꽃이 빼곡하게 핀다. 꽃은 흰색이나 연한 녹색이며 꽃술은 연한 분홍빛을 띤다.

꽃은 끝이 5조각으로 얕게 갈라진 통꽃으로 길이5mm미만이며 꽃잎 위로 암술(?)과 8개 수술이 솟아 있다. 암술 없이 수술만 있는 꽃도 있는 것 같았다.

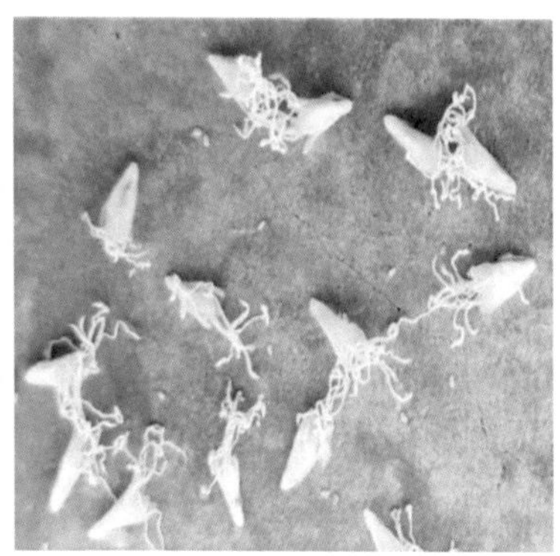
좌-수 많은 꽃이 피어 있는 꽃송이, 우-꽃송이에 붙은 꽃들

열매: 하나의 열매축에 보통 3~20개의 열매가 달린다. 열매는 분리과(分離果, Loment)인 납작한 꼬투리로 길이5~15cm, 너비 1.0~2.0cm, 두께5~10mm(가시 높이 포함)다.

고슴도치처럼 열매 전체가 가시로 덮여 있다. 초기엔 녹색이나 익으면 검은색, 갈색, 적갈색, 황갈색이다. 익으면 5~20개의 조각으로 끊어져 맥에서 빠져 씨를 품은 조각만 바닥으로 떨어진다. 조각 하나엔 1개 씨가 들어 있다.

이렇게 미모사피그라가 잔가시가 빽빽한 열매껍질에 씨를 싸서 땅으로 떨어뜨리는 것은 씨의 벌레 침입을 막고 물에 의한 씨의 이동을 돕기 위함이다. 씨는 물에 가라앉을 수 있지만 가시투성이 열매껍질에 싸여 있으면 물에 뜬다.

열매껍질과 가시는 가볍고 거기엔 물이 잘 묻거나 스며들지 않는다. 때문에 습지의 물웅덩이나 실개천을 떠다닐 수 있어 발 없는 씨의 먼 거리 여행을 가능하게 한다.

물론 동물의 몸이나 사람의 옷에 잘 달라붙을 수 있어 이 역시 씨의 먼 거리 이동을 돕는다.

열매 송이

열매가 조각조각 분리되어 떨어진 뒤 가지에 남은 열매 맥 역시 브로치처럼 보인다. 미모사피그라에 대해 아무것도 몰랐을 처음엔 그것을 꽃으로 착각했다.

좌-조각나 떨어진 열매, 우-열매가 빠진 맥

씨: 씨는 가시가 촘촘한 열매껍질에 싸여 땅 바닥으로 떨어진다. 떨어진 열매조각에서 껍질을 벗겨내면 씨가 나온다.

씨는 납작한 긴 타원형이며, 길이5~6mm, 너비1.8~2.2mm, 두께0.5mm며 단단하다. 익은 씨 색은 갈색, 흑갈색, 흑청색이다.

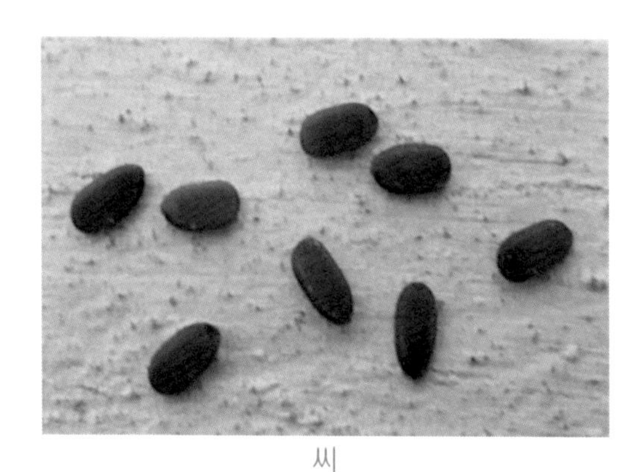
씨

아무것도 모른 채 대들다 미모사피그라 가시에 찔려 아파 힘들어

한 뒤로 나는 모르면서 무슨 일을 할 때는 항상 조심한다.

모르고 살거나, 모른 채 일을 하거나, 모르면서 설치거나 덥석 거리면 고생하기 쉽다는 것을 미모사피그라를 통해서 체험하고 교훈을 얻었기 때문이다.

필자 주

1.https://en.wikipedia.org, https://www.cabi.org를 참고했다

바우히니아(*Bauhinia purpurea*)
-난(蘭) 나무를 보았는가?

난(蘭)은 여러해살이 풀이다. 그런데 키가 5~12m인 바우히니아라는 난초나무(Orchid tree)가 있다. 바우히니아는 난초과가 아닌 콩과의 난초나무속 열대 상록수다.

바우히니아꽃은 꽃잎이 5장이고 암술과 수술이 분리되어 있어, 일반적으로 꽃잎이 3장이고 암술과 수술이 융합된 난 꽃과 전혀 다르다. 뿐만 아니라 바우히니아나무는 길이가 15~30cm인 납작한 꼬투리열매(莢果)를 맺고, 지름이 10~15mm인 납작한 둥근 씨를 생산하여 눈으로 보기 어려운 난의 씨와는 천양지차(天壤之差)가 있다.

이처럼 바우히니아나무는 난초와 같은 특성이 하나도 없다. 그런데도 왜 난초나무라고 했을까? 필자는 그 이유를 바우히니아꽃이 난 꽃을 연상시킬 만큼 아름답고 향기가 있기 때문이라고 추정한다.

2017년8월29일 베트남 껀터에서 나는 바우히니아나무를 처음 만났다. 그땐 이름도 몰랐다, 처음 보는 순간부터 꽃이 눈에 쏙 들어왔다. 나무에 피는 꽃치고는 볼수록 아름답고 매력적이었다.

그 뒤 관심을 갖고 관련 자료를 찾아보았다. 학명이 *Bauhinia*

*purpurea*와 *Bauhinia variegata* 임을 알게 되었다. Bauhinia 속(Genus)은 한글이름이 난초나무 속이고, 이 속에는 세계적으로 500종 이상의 식물이 있는 것으로 알려져 있다.

꽃이 아름다워 일부러 멀리까지 찾아 다니며 관심을 갖고 관찰하다 보니 나무에 따라 꽃잎 색과 모양, 잎의 모양이 다르기도 했다. 그러나 열매와 씨는 비슷했다.

형태와 잎: 나무 높이는 5~12m이며 수형은 위가 넓은 우산 모양이고, 더러는 가지가 덩굴성으로 늘어지는 것도 있었다. 따라서 관상용으로 **정원이나** 공원에 심은 나무는 전정(剪整)을 해주는 것이 좋다고 생각한다

잎은 어긋나며 소나 낙타 발처럼 잎 끝이 2갈래로 갈라져 있다.

Bauhinia purpurea　　Bauhinia variegata

꽃: 꽃은 꽃받침, 꽃잎, 암술과 수술이 있는 양성화이며 화관 지름은 4~10cm다. 꽃잎은 5장이며, 모양은 긴 타원형이나 긴 주걱모양이고, 색은 진분홍, 연보라 등이다. 수술은 3~5개이고 수술대는 핑크나 연보라색이다. 암술은 1개이며 희거나 암술대 중앙이 연녹색인 것도 있다.

내가 관찰한 꽃과 잎 등의 특성을 감안하면 아래 표와 같이 종(種)이 다른 *Bauhinia purpurea*와 *B. variegata* 일 수 있으나, 일부 자료에는 *B. variegata* 꽃잎 색이 흰색으로 되어 있어 확인이 더 필요하다.

*Bauhinia purpurea*와 *B. variegata*의 꽃과 잎 비교

학명	꽃잎	암술	수술	잎
Bauhinia purpurea	긴 타원형, 5장, 연보라, 가운데 세로로 길게 붉음	1, 흰색 또는 아래와 위는 흰색, 중앙은 연녹색	3, 연보라	소나 낙타 발 모양, 잎 길이의 1/3~1/2깊게 갈라짐
Bauhinia variegata	주걱형, 5장, 진분홍~붉음, 일부 밑은 흰색 *B. purpurea* 보다 넓음	1, 흰색	5(장3, 단2), 연분홍	소나 낙타 발 모양, 잎 길이의 1/4~1/3얕게 갈라짐

열매: 납작한 꼬투리로 길이15~30cm, 너비15~25mm, 두께

4~6mm다. 초기엔 녹색이며, 익으면 갈색, 적갈색, 흑갈색이 되어 2조각으로 갈라진다. 1개 열매에는 5~15개 씨가 들어 있다. 껍질은 딱딱하다.

2조각으로 갈라진 익은 열매와 씨

씨: 납작한 원형이며, 지름은 10~15mm다. 익은 씨는 흑갈색, 갈색, 황갈색이며 겉에 불규칙한 주름무늬가 있다.

번식: 씨를 심거나 삽목(插木)으로 한다.

바우히니아는 기억 속에 오래 남는 꽃이다. 처음 볼 때부터 관심을 끌었고, 볼수록 좋아지고 마음이 움직였기 때문이다. 이 꽃을 생각하면 나도 누군가에게 오래도록 아름답게 기억되고 싶어진다.

필자 주

1. *Bauhinia* 속명은 스위스 식물학자 Jan Bauhin과 Caspar Bauhin 형제의 이름을 따서 지어진 것으로 알려져 있다.

2. *B. purpurea*는 동의어가 10개가 넘고, 영명은 orchid tree, purple bauhinia, camel's foot, butterfly tree다. *B. Variegata*는 동의어가 3개이며, 영명은 orchid tree, camel's foot, Mountain ebony(山黑檀)다.

3. *B. purpurea*와 *B. variegata*는 아직 공식적인 한글이름이 없고 영명은 2종 모두 orchid tree로 되어있다. 따라서 나는 이들의 종 구별이 안 될 경우는 나무에 피는 난 꽃을 뜻하는 목란(木蘭), 종이 구분될 경우는 꽃잎 색에 따라 자목란(紫木蘭), 적목란(赤木蘭), 백목란(白木蘭)이라고 부르고 싶다.

4. 홍콩 국화로 알려진 Bauhinia blakeana(Hong Kong orchid, 香港蘭)는 B. variegata에 가깝다.

5. https://www.backyardnature.net, https://www.flickr.com, https://en.wikipedia.org를 참고했다.

빨간 아카시아(*Delonix regia*)
-꽃은 화장한 듯 예쁘지만 열매는 얼핏 뱀 같아

빨간 아카시아는 낙엽성 큰키나무(喬木)다. 잎은 짝수2회깃꼴겹잎(偶數二回羽狀複葉)이다. 꽃이 한창 필 때는 불타는 듯하다. 꽃은 완전갖춘꽃으로 대체로 빨갛지만 꽃잎 1개가 흰색, 노란색 점과 선 등으로 화장한 듯 곤충 유인(誘引)무늬가 있다. 익은 열매는 끝이 좁고 약간 구불구불한 혁대(革帶)처럼 생긴 꼬투리열매(莢果)로 나무에 달려 있을 때는 얼핏 뱀 같다. 씨는 도톰한 긴 타원형으로 검거나 흑갈색이다.

빨간 아카시아나무는 열대식물로 콩과(Fabaceae)이며, 학명은 *Delonix regia*, 영명은 Red acacia, Flame tree, Flamboyant flame of the forest, 베트남어 이름은 phượng vĩ(불꽃나무)이다.

형태와 수형: 빨간 아카시아는 10m이상의 큰키나무다. 수형(樹形)은 위가 넓고 편평한 편이나 환경에 따라 2차 줄기와 가지가 아래로 휘어 처질 정도로 길며 편평하지 않고 반구(半球)모양도 있다.

잎과 가시: 잎은 마주나기를 하며 짝수2회깃꼴겹잎이며 길이가 20~50cm로 크다. 한국의 아카시나무와 달리 잎은 물론 줄기와 가지 어디에도 가시가 없다. 그런데 탄자니아 세렝게티국립공원에서 본 관목(灌木, Shrub)형 아카시아나무에는 가시가 많았고, 여

행가이드는 기린이 그 나뭇잎을 좋아한다고 했다.

꽃 뒷면과 꽃받침, 꽃이 한창인 나무, 꽃 앞면

꽃: 빨강색이 주를 이루나, 주홍, 주황색도 있고 가장 큰 꽃잎(기준꽃잎)엔 흰색, 연한 노란색 반점과 선 등으로 된 곤충 유인무늬가 있다. 이러한 무늬는 꽃가루받이를 잘 하기 위하여 곤충을 정확한 지점으로 불러들이기 위한 꽃의 지혜로운 전략이다. 꽃 나름의 아름다워지기 위한 화장(化粧)이나 분장(扮裝)인 셈이다.

꽃받침은 끝이 뾰족한 긴 타원형이고, 5개이며 겉은 연녹색이나 연 노란색이고 안쪽은 빨강색이다. 크기는 길이2.0~2.5cm, 너비 0.4~0.6cm다.

꽃잎은 5개이며 길이3.0~5.0cm, 너비2.5~4.5cm다. 꽃부리(花冠) 지름은 6~9cm다.

수술은 10개, 수술대Filament)는 빨갛고 꽃가루는 노랗다. 암술은 1개, 색은 연녹색이나 연노랑이고 꽃밥이 달린 수술보다 대체로 짧은 편이다.

열매: 양끝이 좁고 구불구불한 짧은 혁대처럼 생긴 꼬투리열매(莢果)다. 초기엔 녹색이며 익으면 흑색, 흑갈색이다. 나무에 무리지어 달려 있을 때는 얼핏 짤막한 뱀처럼 보인다. 크기는 길이 30~50cm, 너비3~6cm, 두께1.0~1.5cm다.

열매는 익으면 나무에 달린 채 양 옆구리 이음선(縫線)이 벌어져 2조각이 되어 씨를 내 보낸다. 강풍이나 벌레 피해가 없으면 덜 익은 열매는 말할 것도 없고 익은 열매도 벌어지지 않은 채로 땅에 떨어지지 않는다. 그 때문인지 열매 안에 씨가 들어 있는 상태는 관찰하기 어려웠고 열매껍질은 2조각난 빈 껍데기가 대부분이었다.

열매 껍질은 딱딱하고 단단하다. 땅에 떨어질 땐 거의가 다 2조각으로 벌어져 씨가 빠진 상태다. 땅에 떨어진 후 비를 맞아 오래되면 구불구불한 열매가 펴져 약간 중앙이 굽은 모양이 되어 갈라진 칼집 같다. 안쪽은 씨가 들어 있던 자국이 선명하여 총알집처럼 보인다.

1개 열매에는 20~60개의 씨가 들어 있다.

위 왼쪽에서 시계 반대방향: 열매가 많이 달린 나무, 씨가 다 빠져나간 열매 껍질 안쪽, 씨, 껍질과 알갱이 안

씨: 씨는 도톰한 긴 타원형으로 길이17~22mm, 너비4~6mm, 두께1.5~2.5mm다. 한 쪽 끝에 짧고 가는 실이 달려 있다. 이것은 씨를 열매의 맥에 붙어 있게 하는 역할을 한 것 같다.

바싹 마른 씨는 차돌처럼 단단하고 딱딱하여 물속에 2달을 담가 놓아도 잘 불지 않았다. 그러나 땅바닥에 떨어져 있는 씨는 대부분 벌레가 먹어 구멍이 뚫려 있거나 썩어 있었다. 그 중에서 불어 다소 연한 씨의 껍질을 벗겼더니 끊어지지 않고 테이프처럼 구겨지며 벗겨졌다.

씨 껍질은 0.1mm정도로 얇으며 씨 알갱이는 흰색에 가까웠다.

알갱이는 3조각으로 되어있고 가운데 조각은 양쪽의 다른 2개보다 노란색이 짙었다. 가운데 조각 안에 배(胚)가 있는 것으로 추정되었다.

뿌리혹: 쓰러져 뿌리가 뽑힌 빨간 아카시아나무를 관찰하였더니 뿌리혹(根瘤, Root nodule)이 없었다. 그러니까 콩과 식물이지만 콩처럼 공기 중의 질소를 고정하여 양분을 생성할 수 없다고 생각된다.

꽃으로 나비를 만들어 책갈피에 꽂아 간직하기도 한다.

껀터대학교 여대생이 꽃으로 만들어 준 나비

빨간 아카시아 꽃은 꽃 자체로 아름답다. 그런데도 잘 보이는 큰 꽃잎에 흰색, 노란색 점과 선 등을 넣은 곤충 유인무늬(誘引紋様)가 있어 더 아름답다. 꽃이 곤충에 잘 보이려고 화장을 한 셈이다.

열매는 씨가 완전히 익어 껍질이 2조각으로 쪼개져 씨를 다 밖으로 내 보낼 때까지 나무 가지 끝에 달려 있고 씨는 차돌처럼 단단하다. 벌레나 짐승의 피해를 최대한 방어하기 위함이라고 추정한다.

벤자민고무나무1(*Ficus benjamina*)
-자라는 환경 따라 외모가 믿기지 않을 만큼 완전히 딴판

벤자민고무나무는 생육환경에 따라 외모가 천지만큼 다르다. 화분에 심어 기르는 관상용은 1~2m의 작은 나무로 기근(氣根)이 거의 없지만 노지에서는 10~30m의 노거수(老巨樹)로 자라며 수백 수천 개의 길 다란 기근(Aerial root)이 치렁치렁 매달려있다. 외관만 보면 같은 식물 종이라고 믿을 수 없을 만큼 전혀 딴 식물 같다.

벤자민고무나무는 뽕나무과(Moraceae)의 열대상록수로 학명은 *Ficus benjamina*, 영명은 weeping fig, benjamin fig, ficus tree다. 태국 방콕시나무(市木)로 알려져 있다. 공식적인 한글이름은 없으나 벤자민고무나무로 널리 불려지고 있다.

형태와 몸통: 벤자민고무나무는 한국에서는 화분에 심어 실내에서 관상용으로 주로 키운다. 하지만 열대지역에서는 늘푸른큰키나무(常綠喬木)로 키가10~30m까지 자란다. 물론 대형 화분에 심어 밖에서 키우기도 한다. 이런 걸 보면 환경 적응력이 아주 뛰어난 나무다.

특이한 것은 큰 벤자민고무나무는 몸통이 1개 줄기가 아니고 여러 개 줄기가 하나처럼 붙어 있다. 이것은 이 나무가 관목의 특성을 가지고 있음을 보여준다.

베트남 껀터: 벤자민고무나무 가로수 길,　화분에 심은 벤자민고무나무

몸통 위 모양(樹冠)은 대체로 원형이나 넓은 원형이어서 옆으로 퍼진 지름이 10m도 넘어 보였다. 가지는 처지는 경향이 있다. 영어로 weeping fig(늘어진 무화과)라 부르는 이유를 알 것 같다.

잎: 잎은 녹색이나 암녹색으로 긴 타원형이고 겉이 매끄럽고 광택이 난다. 어긋나며 잎자루1~3cm, 잎몸(葉身)길이5~13cm, 너비 2~6cm다. 턱잎(托葉)은 길이5~15mm이며 끝이 피침모양으로 뾰족하다.

뿌리와 기근: 뿌리의 생장력이 왕성하다. 시멘트콘크리트 바닥위로 몇 미터를 길게 뻗어가며 자란다. 줄기와 가지에서는 수백 수천 개의 기근(공기뿌리)이 나와 빨래 줄이나 가는 노끈처럼 늘어지고, 어떤 것은 땅속으로 들어가는데 이때 기근은 마치 땅에서 위로 나와 자란 듯 보이기도 한다.

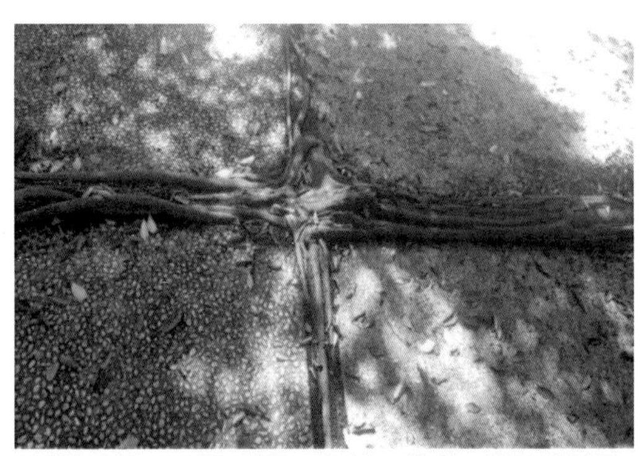

시멘트콘크리트 위로 자라는 뿌리, 껀터대학교

수백 수천 개의 기근이 가는 노끈처럼 매달린 모습(껀터)

기근은 장식용이 아니라 벤자민고무나무가 어떤 환경에서든지 호흡을 충분히 하며 몸을 지탱하고 안전하게 잘 자라 생존하기 위함이다.

뿐만 아니다. 일반적으로 식물 뿌리는 땅속에서 자라는 게 상식이고 천리다. 그런데 벤자민고무나무는 수천 수백 개의 공기뿌리를 땅 위에서 뻗는다. 더 나아가 땅속뿌리는 시멘트콘크리트까지 뚫고 나와 그 위에서도 왕성하게 산다. 정말 놀라운 생명력이다.

이런 벤자민고무나무를 볼 때마다 생존하기 위해서라면 다른 생명체와 물체에 피해를 주지 않는 범위에선 상식에 반하고 천리를 거슬려도 괜찮은 지 자문(自問)하곤 한다.

필자 주

1.https://en.wikipedia.org,https://www.sundaygardener.net,https://www.nparks.gov.sg를 참고했다.

벤자민고무나무2(*Ficus benjamina*)
-꽃은? 열매는? 씨는? 처녀생식은?

벤자민고무나무 꽃은 동그랗게 안으로 말린 꽃차례에 수백 개가 빼곡하게 들어 있어 그냥은 보기 어렵다. 콩알 같은 꽃차례를 잘라야 꽃을 볼 수 있다.

콩알모양의 녹색 꽃차례는 꽃이 수정되어 익어 감에 따라 노랑이나 오렌지로 변하고 더 익으면 붉거나 검붉은 색이 되고 완전히 익으면 검거나 짙은 흑갈색이 된다.

잘 익은 콩알모양의 꽃차례를 자르면 수백 개의 열매를 볼 수 있다. 열매는 아래쪽이 좁게 삐져나온 좁쌀 같고 길이1~2mm다. 얇디 얇은 미농지(美濃紙) 같은 껍질에 싸여있다. 씨는 동그랗고 지름은 1mm이하다.

꽃: 벤자민고무나무는 암수한그루(Monoecious)며, 분명 꽃이 핀다, 그러나 대부분의 사람들은 벤자민고무나무는 꽃이 없다거나 보지 못했다고 한다. 사실 벤자민고무나무에서 꽃을 보려고 몇 년을 찾아도 그냥은 볼 수 없기 때문이다.

왜냐고? 무화과나무속(Ficus)이어서 꽃대축(花序軸))과 꽃받침(?)이 안으로 말리는 원형(?)의 꽃차례이고, 그 안쪽에 수십 수백 개의 꽃이 피기 때문이다. 콩알처럼 생겨 열매라고 생각하지만 열매가 아닌 꽃차례의 변형으로 보는 게 맞다.

꽃(국립수목원)

숙기 별 꽃차례 색(녹, 적갈, 흑)

꽃은 수꽃, 암꽃, 퇴화한 암꽃 3형태가 있는 것으로 알려져 있다.

필자가 지름0.8~1.5cm크기의 콩알모양의 꽃차례를 잘라 육안으로 관찰했더니 수백 개의 꽃이 빽빽이 있었다. 하지만 암꽃과 수꽃을 구분하기는 어려웠다.

꽃잎은 끝이 3~4갈래로 갈라져 있거나 3~4개로 보였다. 꽃잎은 연노란 색의 얇디 얇은 비닐이나 미농지처럼 보였다. 물에 담가서 보았더니 다소 볼록한 것과 홀쭉한 것이 있었다. 그 둘 중 볼록(씨방)한 것이 암꽃으로 추정된다. 꽃자루는 없는 것처럼 보였다.

열매로 보이는 꽃차례는 초기에는 녹색이며 꽃이 수정되어 열매와 씨가 익을수록 노란색이나 오렌지색으로 변하고 더 익으면 붉거나 검붉은 색이 되고 완전히 익으면 검거나 흑갈색이 된다.

수정(受精): 벤자민고무나무는 좀벌(Wasp)에 의해 꽃가루받이를 하여 수정하는 것으로 알려져 있다. 좀벌은 꽃차례가 오므라들어 붙은 부위의 아주 미세한 틈으로 들어가 꽃가루받이를 도와주는 것으로 알려져 있다.

처녀생식(處女生殖, parthenogenesis): 벤자민고무나무는 수꽃이 없어 꽃가루받이가 안 되더라도 암꽃이 어떤 자극이나 충격 등으로 수정을 하여 열매와 씨를 생성하기도 한다. 이런 생식을 처녀생식이나 단성생식(單性生殖)이라고 하고 이렇게 생긴 열매를 단위결과(單爲結果, parthenocarpy)라고 한다. 식물의 경우 처녀생식은 생물 종의 종족보존에 긴요한 역할을 한다.

식물의 경우 단성생식이 가능하더라도 수꽃만으로는 불가능하다. 총각생식은 불가능하다는 말이다. 동물은 더욱 그렇다. 인간은 더 더욱 그렇다. 여성이 위대한 이유다.

열매와 씨: 열매는 아래쪽이 짧고 좁게 밀려나온 좁쌀모양으로 길이1~2mm로 작고 얇은 미농지처럼 생긴 껍질에 싸여있다. 색은 흰빛이 도는 갈색이었다. 그 안에 좁쌀 같은 씨가 들어 있다.

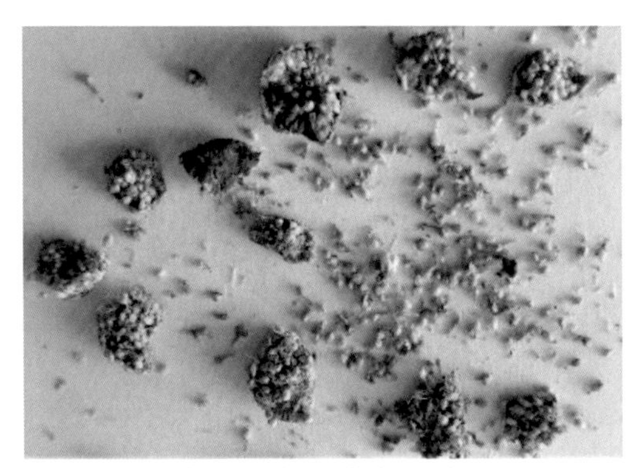
익은 꽃 차례 안의 열매·씨

우리가 술안주로 즐겨먹는 무화과(無花果, Ficus carica)는 꽃차례 축에 붙은 수많은 꽃들이 수정하여 생성된 열매와 씨의 복합체다.

벤자민고무나무가 꽃이 없다고 말들 한다. 그러나 벤자민고무나무 역시 무화과나무속 식물로 꽃이 피고 꽃가루받이를 하여 열매와 씨를 생산한다. 다만 꽃이 안으로 숨어(隱花, Syconium) 보이지 않을 뿐이다.

따라서 식물은 물론 사람을 평가할 때도 단순히 외모만 보지 말고 심성, 능력 같은 내면을 함께 보아야 한다.

병솔나무(*Callistemon viminalis*)
-열매이삭 끝에서 자란 새 가지에 꽃이 피는 나무가 있을까?

있다. 병솔나무가 그렇다.

병솔나무는 열매가 달린 이삭 끝이 자라고, 거기에 다시 꽃을 피운다. 열대지역에서는 한 나무에 꽃, 덜 익은 열매, 익은 열매와 씨가 함께 있는 것은 흔한 현상이다. 그러나 열매가 익어 씨를 품고 있는 이삭 끝에서 자란 가지 끝에 꽃이 피는 나무는 내가 아는 한 병솔나무가 유일하다.

병솔나무는 호주 특산식물로 알려져 있다. 학명은 *Callistemon viminalis*, 영명은 Weeping bottlebrush다.

한글이름: 한국에서는 병솔나무 또는 수양(垂楊)병솔나무로 불리고 있다. 병솔나무는 여러 재배품종이 있어 품종 별로는 특징이 조금씩 다를 수 있다.

형태와 잎: 병솔나무는 키가 3~10m의 굵은 줄기를 가진 큰 관목(灌木)이거나 작은키나무(小喬木)가 많다. 수양버드나무처럼 가지가 길게 늘어지고, 물을 좋아해 습지나 물가에서 잘 자란다.

그러나 내가 껀터대학교에서 본 것 중에는 작은키나무(小喬木)로 보기엔 너무 큰 나무도 있었다.

잎은 피침형(披針形)으로 길이4~7㎝, 너비3~8㎜이고 어긋난다.

큰키나무로 불만큼 큰 병솔나무(낀터대학교)

꽃: 꽃은 가지 끝에 10~60개가 다닥다닥 피어 둥그런 병을 씻는 솔 모양을 한다. 그것은 길이4~20㎝, 지름3~6㎝다.

놀랍고 신기한 것은 처음 핀 꽃이 열매를 맺고 익는 동안에 열매 이삭 끝에서 다시 새순이 나와 자란다. 뿐만 아니라 그 새로 자란 가지 끝에 다시 꽃이 피어 열매를 맺는다.

식물에 관심이 많아 수백 종이 넘든 나무를 관찰했지만, 병솔나무처럼 익은 열매가 달린 이삭 끝이 새로 자라 그곳에 꽃이 핀 것을 본 기억이 없다.

열매 이삭 끝이 자란 새 가지 끝에 핀 병솔나무 꽃

꽃은 완전 갖춘 양성화다. 꽃잎은 5장이며, 한 장 한 장은 아래쪽이 약간 튀어나온 원형에 가깝다. 꽃은 옆으로 벌어져 있는 편인데 5장 꽃잎이 붙어 있는 모습은 접시 모양을 한다. 색은 연한 녹색, 연노랑, 흰색이다. 꽃잎 1장의 크기는 지름이 3~4㎜이고 전체 화관(꽃부리)은 6~10㎜다.

꽃받침은 짧은 종모양이며 진한 녹색이어서 꽃잎보다 눈에 잘 띈다.

암술, 수술, 꽃잎, 꽃받침을 갖춘 꽃

꽃술은 암술 하나, 수술은 여러 개다. 색은 모두 빨갛다.

병솔나무 꽃이 빨갛고 아름다운 것은 꽃잎 때문이 아니고 꽃술 덕분이다. 특히 수술은 한 꽃에 5개의 원통다발로 되어 있거나, 이들 다발이 붙어 하나의 원통을 이루고 있기도 하다. 대체로 하나의 작은 원통다발에는 10여개의 수술이 있고, 한 꽃에 40~60개의 수술이 있다.

수술 길이는 2~5㎝로 짧은 것과 긴 것의 차이가 크다. 암술 길이는 대체로 수술 긴 것보다 짧다. 수술 끝에 달린 꽃밥(葯)은 터지기 전에는 곤충 핀 머리 같고 빨갛다.

열매: 열매는 20~40개가 이삭에 다닥다닥 붙어 있다. 열매는 종이나 둥근 종모양의 캡슐이나 굽 낮은 둥근 잔 같다. 위 끝 둘레에 1㎜정도의 끝이 뾰족한 침 5개가 붙어 있다.

크기는 높이(길이)3~5㎜, 위의 지름 3.5~5.5㎜다. 색은 초기에는 녹색이나 익으면 과일 배 껍질 색에 가깝고 오래되면 흑갈색이나 흑색이 된다.

열매: 위-벌어지기 전, 아래-벌어져 씨가 빠질 때

위가 벌어지기 전에는 덮개(뚜껑) 표시가 없이 한 몸처럼 위가 완전히 봉(封)해져 있다가 익으면 3칸으로 벌어지며 씨를 내보낸다.

껍질은 목질이며 단단하다. 1개 열매에는 30~수백(?)개의 씨가 들어 있다.

씨: 씨는 눈으로 보면 티끌 같으나 확대해서 보면 긴 세모꼴이다. 크기는 길이0.9~1.1㎜, 너비0.1~0.2㎜정도다.

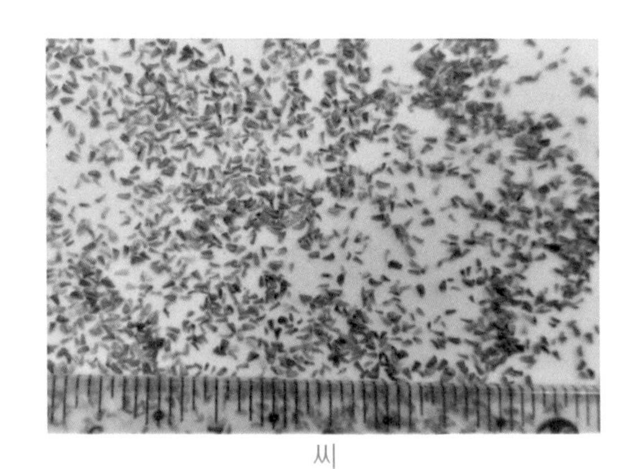

씨

가을에 고개 숙인 벼 이삭 끝에서 새 순이 자라나 그곳에 꽃이 피어 있는 것을 상상해보라. 신기하지 않겠는가? 풀인 벼가 그래도 신기할 진대, 하물며 나무는 말해 무엇 하랴!

그런데 그런 나무가 실제로 있으니 어찌 신기하지 않겠는가? 병솔나무가 그렇다. 우리의 상식, 나아가 상상마저 허물어버리는 병솔나무가 정말 놀랍고 신기할 따름이다.

필자 주

1.문헌에 따라 병솔나무 학명은 *Callistemon viminalis*와 *Melaleuca viminalis*를 함께 사용하고 있다. 속명 Callistemon은 그리스어 Kalos 즉 Beautiful과 Stemon 즉 Stamen의 합성어로 아름다운 수술이란 뜻이다. 종명 viminalis는 라틴어 viminalis에서 유래된 것으로 길고 유연한 가지(Long and flexible twigs)라는 뜻이다.

2.Melaleuca viminalis 학명은 2006년 Lyndley A. Craven등이 재 명명할 것을 제기하여 일부 자료에 사용은 되고 있으나, 아직까지 호주특산식물학회(Australian Native Plants Society Australia, ANPSA)는 공식적으로 받아들이지 않고 있다.

3.병솔나무 또는 수양병솔나무란 이름은 꽃이 달린 모습이 병을 씻는 솔을 닮고 가지가 실버들처럼 길게 늘어져 있어 영어로 weeping bottlebrush라 했고 이것을 우리말로 옮긴 것으로 보인다.

4.http://anpsa.org.au,https://en.wikipedia.org,https://www.anbg.gov.au를 참고했다.

사막장미(*Adenium obesum*)
-나를 3번 놀래 키고 즐겁게 해

사막 장미를 보고 나는 3번 놀라고 3번 즐거워했다. 감동하기도 했다. 첫 번째는 꽃 안의 씨방을 본 때였다. 열매가 없다고 말하는 이곳 사람들과 달리 꽃은 갖춘꽃으로 꽃 안에 씨방이 분명히 있었다. 두 번째는 흙 한 점 없이 벌거벗은 뿌리를 본 때였다. 그렇게 뿌리가 노출된 채 30℃를 웃도는 땡볕에 놓았다가 심어도 산다는 사실에 놀랐다. 세 번째는 이곳 누구도 보지 못했다는 열매와 씨를 발견했을 때였다. 열매와 씨는 아름다운 꽃 모양과는 완전 딴판이었고 씨는 축(軸)에 2개 수레바퀴가 연결된 것 같았다.

Having seen a desert rose, I was amazed and delighted three times. I was also touched. The first time was when I saw an ovary in a flower. Unlike the people here who say there have no fruits of a desert flower, the flowers were a complete one and clearly have an ovary inside flowers. The second time was when I saw bare roots without a single speck of dirt. I was surprised to know that when the roots which were exposed and placed under the hot sunlight of over 30℃ are planted, they can live. The third time was when I found fruits and seeds that no one here has ever seen before. The fruits and the seeds were completely different from the beautiful flower shape. The seeds looked like two wheels connected to the axis.

베트남 남부에서 관상식물로 사랑 받는 사막장미(Desert rose)의 학명은 *Adenium obesum*으로 보인다. 이들 사막장미는 재배(개량)품종이 많아 모양이 조금씩 다를 수 있고 특히 꽃 색은 붉은색만 있지 않고 품종에 따라 붉은색, 진한 빨강색, 하얀색 등 다양하다. 홑꽃이 대부분이나 겹꽃도 있었다.

형태와 잎: 다육식물(多肉植物, Succulent plant)로 크기는 2m 이하이며, 화분용으로 인기가 있다. 잎은 가지 끝 부위에 밀집되어 어긋나 달리며 녹색이다. 모양은 자루가 거의 없는 긴 주걱 모양이다.

사막장미

꽃: 꽃은 완전 갖춘꽃으로 양성화이며 좁쌀 크기의 연한 연두색

씨방이 분명히 있다. 씨방을 본 순간 기뻤다. 꽃은 가지 끝에서 피며, 통꽃이지만 끝은 5조각으로 갈라진다. 색은 주로 붉은 색이고 꽃잎 안쪽(통꽃 부위)은 흰색에 가깝고, 거기에는 분홍이나 붉은 색 세로줄이 3개씩 있다.

꽃 받침은 아래는 붙어 통 모양이지만 윗부분은 5조각으로 갈라지고 끝은 뾰족하다.

수술은 5개이며, 수술대에는 잔털이 있다. 꽃봉오리 때는 수술이 꽃봉오리 밖으로 나와 있다. 암술은 1개이며 수술보다 짧다. 씨방은 연녹색 둥근 모양이며 암술대는 매끄럽고 암술머리는 녹색 빛을 띠기도 한다.

꽃받침과 꽃봉오리 그 위 수술, 수술 암술과 씨방, 꽃잎

줄기: 가지와 줄기는 다육질로 잎보다 물을 많이 저장해 건기에 활용한다. 줄기 아래 밑 둥은 항아리 모양으로 굵으며 관상가치가 있다.

햇볕 속의 흙을 털어낸 뿌리

"아! 사막장미가 너무 더운가 봐, 홀딱 벗고 있네."

흙 한 점 붙지 않은 사막장미 3그루가 긴 의자 위에 놓여 있는 것을 보고 중얼거렸다. 그리고 주인과 휴대폰 번역기를 이용하여 이야기를 나누었다.

뿌리: 뿌리는 줄기 밑 둥보다 가늘고 꼬리나 줄(실) 모양이며 흰빛이 돈다. 그다지 희지 않다.

뿌리를 흙으로 싸지 않고 30℃가 넘는 고온과 햇볕에 노출시켜도 되느냐고 물었더니 괜찮다고 했다. 오히려 분 갈이 할 때 이렇게 어느 정도 말려서 심으면 더 좋다고 했다. 자료를 찾아보니 뿌리를 어느 정도 건조 시키고 분 갈이 때 건조한 흙을 사용하는 것이 뿌리 썩음 병 방지에 좋다고 되어있다.

이렇듯 꽃, 잎, 줄기, 가지 등은 있는 데 열매는 보이지 않았다. 1년간 관심을 갖고 열매를 찾았으나 허사였다. 물론 이곳 사람들에게 열매에 대해서 물었다.

그때마다 "모른다. 없다. 보지 못했다."는 대답뿐이었다. 심지어 60이 넘은 노인도 자기는 열매를 본 일이 없으며, 없다고 힘주어 말했다.

하지만 나는 꽃이 피고, 그것도 암술 수술, 씨방이 있는 데 열매가 없다는 것을 믿기 어려웠다. 포기하지 않고 계속하여 열매를 찾았다.

붕타우 가는 길 휴게소식당에서 처음 본 사막장미 열매

그 덕택인가! 놀랍게도 베트남에 온지 1년2월이 되는 2018년10월05일이었다. KVIP직원과 함께 붕타우 가는 길에 휴게소에서 식사를 하고 떠나려고 나오는 참이었다. 사막장미가 있어 보았더니 거기에 열매가 달렸다. 처음엔 열매인지 아닌지 조차 몰랐다. 그런데 자세히 보니 열매가 맞았다. 딱 1개가 달렸다. 길고 끝이 가는 막대모양이었다.

시간이 없어 사진만 찍고 차를 타고 떠났다. 주인에게 빈말이라도 따서 보내달라고 할 걸 하지 못한 것이 후회되었다.

그 뒤 2주째인 2018년10월19일 롱안 성(Long An Province) 탄호아 군(Thanh Hoa District) 농업회의에 참석하기 위해 출장을 갔다. 군청 앞에 사막장미 화분이 여러 개 있었다. 키가 1m가 넘고 밑 둥 줄기는 30여cm나 되는 큰 사막장미도 있었다.

여유 시간이 있어 이들 사막장미를 보고 있는 데 또 딱 1개의 열매가 달려 있었다. 사진을 찍고 회의에 참석한 도정(Rice Milling) 공장 직원에게 열매가 익으면 따서 보내달라고 부탁을 했다. 흔쾌히 그러겠다고 했다. 그러나 열매는 보내오지 않았다.

그렇게 2018년이 지났다. 그러던 2019년2월17일 시장으로 가는 길을 산책하다가 정말 우연히 어느 집 앞 화분에서 사막장미 열매를 발견했다. 이때도 딱 1개였다. 열매를 채취해서 씨를 보고 싶었지만 1개이고 익었는지 안 익었는지 알 수 없어 따고 싶은 충동을 억누르고 이번에도 사진만 찍었다.

그날로부터 1주일이 지난 2월24일에 다시 그곳을 찾아 갔다.

"와! 씨다!"

사막장미의 익은 열매가 벌어져 씨가 붙은 채 달려 있었다. 그걸 보는 순간 나도 모르게 나온 탄성이었다.

아마도 그때 가지 않았으면 열매와 씨가 떨어져나가 볼 수 없었는지도 몰랐다. 정말 다행이었다.

꽃이 피고, 씨방이 있으면 분명 열매와 씨가 있다는 내 생각이 맞다 는 것을 또 다시 확인하는 순간이었다.

사막장미 꽃과 껍질이 벌어져 씨가 나오는 익은 열매

열매는 길이15~30cm, 지름1.5~3.0cm의 긴 둥근 막대 모양으로 끝으로 갈수록 가늘어져 뾰족해진다. 색은 주홍빛에 가깝고 익으면 암적갈색이 된다. 겉에는 이음선(봉선)이 세로로 1개 있으며, 익으면 이곳이 벌어져 씨를 내 보낸다. 벌어지면, 중앙 이음선 만 벌어지므로 2조각이 되지 않고 긴 조각배 모양이 된다. 열매껍질은 딱딱하나 가벼운 편이다.

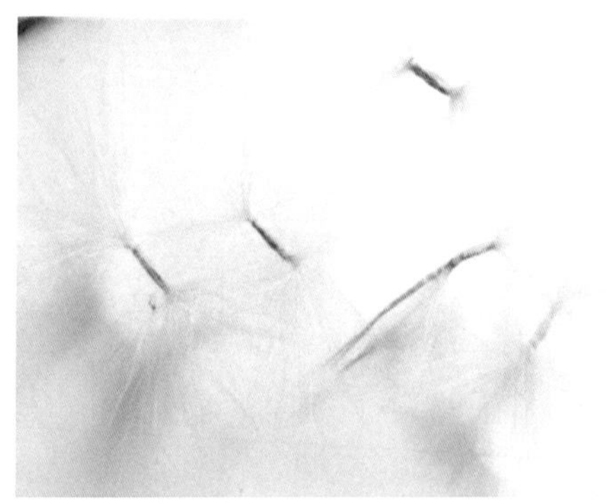
갓털(관모)이 풀려 수레 모양을 한 씨

1개 열매에는 100개가 넘는 씨가 들어 있었다. 벽돌을 차곡차곡 쌓아 놓은 것처럼 열매 안에 가득 차 있었다.

씨는 얼핏 보면 둥근 막대처럼 보이나 3면으로 된 세모 막대이며 양쪽 끝도 세모다. 크기는 길이 0.8~1.2cm, 한 변의 너비 0.8~1.2mm이다. 이 양쪽 끝에 길이 3.5~5.0cm의 갓털이 수십 개 이상이 붙어 있다. 관모(갓털, 冠毛)는 모여서 한 가닥 실끈처럼 씨 양 쪽에 붙어 열매 안에 가로로 들어 있었다.

뭉쳐 있는 관모는 씨가 열매에서 떨어져 밖으로 나오자마자 바로 펼쳐져 씨 알갱이 즉 축(軸)에 2개의 수레바퀴가 붙은 것처럼 된다. 관모 하나하나는 머리카락을 수십 갈래로 갈라놓은 것처럼 가늘고 부드럽고 가볍다.

대부분 식물의 씨는 위 끝에만 갓 털이 있다. 그런데 사막장미는 신기하게도 위아래(양 옆)에 갓 털이 있다. 왜 그럴까? 아마도 내 생각에는 약간의 바람기만 있어도 공중으로 날아오르거나 땅 바닥을 굴러가도록 하기 위해서 일 거다. 사막에서 씨가 모래에 묻히지 않고 씨를 멀리 보내기 위한 사막장미 나름의 지혜가 아닐까?

관모는 쉽게 씨 알갱이에서 떨어진다. 이것은 씨가 멀리 날아가 떨어진 곳에 정착하기 위한 사막장미의 또 다른 지혜다. 관모가 잘 안 떨어진다면 계속 굴러다니거나 공중을 날아다녀 땅에 뿌리를 내리기 어려움을 알기 때문일 게다.

여러 개의 씨를 널어놓으면 갓 털끼리 서로 붙어 원을 이루기도 하는 데 이 모습이 마치 강강술래 놀이 모습으로 보이는 것은 무슨 까닭일까?

씨 껍질은 1mm도 안 되게 얇으며 잘 부서진다. 알갱이 속은 희다. 맛은 쓰다.

나는 사람들에게 무슨 즐거움과 감동을 어떻게 줄까? 사막장미의 꽃, 줄기, 뿌리, 열매, 씨를 본 뒤에 스스로에 묻는 물음 중 하나다.

What joy and touching, how can I give people? It is one of the questions that I have asked myself after seeing the desert rose's flowers, stems, roots, fruits, and seeds.

필자 주

1.다음 백과사전의 사막장미 학명 Adenia globosa는 잘 못된 것 같기도 하다. 검토하여 오류라고 판명되면 수정하였으면 한다.

살라나무1(*Couroupita guianensis*)
-특이한 수술 때문에 아름다운 꽃, 부처에 공양도 해

살라나무꽃은 아름답다. 꽃은 특이한 수술 때문에 더 아름답다. 땅에 떨어져 꽃이 분해되어도 참 아름답다. 꽃 이름을 몰랐을 때, 내가 그 꽃을 "아름다운 꽃"이라 부른 이유다.

한편 인도 마야(Māyā)왕비가 살라나무 아래서 나뭇가지를 붙잡고 부처를 출산했다 하여 불교의 상징 나무로 알려져 있다. 캄보디아에서는 살라나무꽃이 부처에게 공양(供養)되며, 산모가 순조롭게 출산하기 위해 살라 나뭇잎을 차나 음료로 만들어 마신다고 한다.

2018년1월12일 나는 살라나무를 껀터의 무엉탄호텔에서 처음 보았다. 처음 보는 꽃이고 아름답기도 해 무조건 사진을 찍었다. 나무에 달린 꽃, 땅에 떨어진 꽃, 찢어지고 마른 꽃 가리지 않고 찍었다.

부근에 있는 사람에게 꽃 이름을 물었으나 모른다고 했다. 이름을 알 수 없어 그때 찍은 꽃 사진에 나는 "아름다운 꽃"이라고 적어 놓았다.

◆어떻게 생긴 꽃이기에 이름을 "아름다운 꽃"이라 했을까?

꽃차례: 50cm이상의 긴 꽃대(꽃대축)를 위로 올라가며 꽃이 달리는 총상꽃차례(總狀花序, Raceme)이다. 꽃대는 굵은 칡덩굴 같고 긴 것은 1m이상이며, 가지나 가지 끝이 아닌 나무 몸통이나 줄기에서 나온다. 꽃대엔 수십 수백 개의 꽃이 달린다.

꽃자루: 꽃자루는 둥글고 10cm 전후로 짧다.

꽃받침: 꽃받침은 6조각이며 넓은 타원형이고 두꺼운 편이다. 꽃이 떨어져도 꽃받침은 꽃자루에 붙어 있다가 열매가 익으면 없어진다.

나무에 달린 꽃

꽃잎: 꽃송이는 대체로 좌우대칭이며, 꽃잎은 6개이며 넓은 타원형이다. 색은 꽃봉오리 때에는 겉이 매끄럽고 윤기가 나며, 연한 녹황색이다가 활짝 피면 빨강, 주홍, 주황이 되며 바깥 일부는 흰색이기도 하다. 꽃부리(花冠)는 지름5~7cm, 꽃잎 한 조각은 너비1.5~2.0cm, 길이2.0~3.0cm이다.

암술: 씨방은 도톰한 원반형으로 분명하나 암술대와 암술머리는 구분이 안 될 정도로 합쳐져 젖꼭지 같다. 위치는 참수술이 수백 개 붙은 원반형의 꽃턱 가운데 구멍(화심) 부위에 있다.

수술: 수술은 꽃가루가 없어 생식기능이 없는 헛수술과 꽃가루가 있는 참수술 2종이 있다. 2종의 수술은 모두 수백 개가 넘는다.

참수술은 화심 위에 있는 구멍 난 원반(Ring)형의 꽃턱에 수백 개가 빽빽이 서 있다. 색은 노란색이다.

헛수술은 꽃턱에 붙은 넓은 수술 띠(帶) 위쪽에 수백 개가 빽빽하게 붙어 굽어 있어 수술이 달린 모습은 ㄷ자형을 이룬다. 수술대(Filament)는 빨갛고 헛꽃밥은 연노란색 또는 노란색이다. 참수술과 헛수술 사이는 수술띠((帶)로 연결되는 셈이다. 살라나무꽃이 이렇게 특별하게 생긴 수술을 가지고 있지 않다면 그저 평범한 일반 꽃에 지나지 않을 것이다.

향기: 자료에는 향이 진하고 좋다고 되어 있다. 그러나 내 경험으로는 향은 그다지 향기롭지도 않고 그다지 강하지도 않다. 거의 향을 못 느꼈다.

◆불교에서 소중하게 다루는 나무

불교 하면 가장 먼저 연상되는 꽃은 연꽃, 나무는 보리수다. 이에 못지않게 불교에서 중요한 위치를 차지하는 식물이 살라나무다. 한국에서는 연꽃이 피지 않는 부처님 오신 날에 공양하는 부처꽃이 있다. 그런데 열대지역에서는 살라나무꽃이 일상 공양된다.

살라나무는 부처의 출산과 얽힌 전설도 지니고 있다.

캄보디아 프놈펜 왕궁의 불단(佛壇)에 공양된 살라나무꽃,
불상 뒤에 살라나무가 있음

2019년2월16일 캄보디아 프놈펜의 왕궁을 구경했다. 그곳에도 살라나무가 있었다. 야외에 불상이 있었는데 그 앞에는 향과 함께 살라나무꽃이 부처에게 공양되어 놓여있었다.

살라나무의 수지(樹脂)는 제단의 향으로 사용되기도 한다고 한다. 캄보디아에서는 산모의 순산(順産)을 위하여 민간요법으로 살라나뭇잎을 차나 음료로 만들어 마신다고 한다.

살라꽃은 꽃잎보다 수술이 더 아름답다. 수술은 그 자체로 아름다운데다 생김새도 특이하여 살라 꽃의 아름다움을 더한다.

필자 주

1.살라나무는 과명이 Lecythidaceae이고 학명은 *Couroupita guianensis*로 알고 있다. 그러나 캄보디아 왕궁의 불단에 공양된 꽃나무라벨엔 과명은 Dipterocarpaceae, 학명은 *Pentacme siamensis*로 되어있었다. 따라서 관련 공인기관에서 이름과 분류에 대해 더 조사연구를 할 필요가 있다고 본다.

왕궁의 살라나무 라벨

2. Sala는 집(house)을 뜻하는 산스크리트어 शाल, śāla에서 유래되었단다. 나무가 단단하여 집 건축용으로 좋다고 한다.

3.한국에서 자라는 부처꽃은 다년생 풀이다. 과명은 부처꽃과(Lythraceae), 학명은 Lythrum anceps, 영명은 loosestrife, 한약재로는 천굴채(千屈菜)이다.

4.https://en.wikipedia.org,https://www.dhammawheel.com등을 참고했다

살라나무2(*Couroupita guianensis*)
-열매는 둥근 포탄 닮고 씨는 티 투성이, 아름다운 꽃과 딴판

살라나무는 대가족제 나무다. 꽃봉오리, 꽃, 미숙열매, 완숙열매가 함께 산다. 열매와 씨는 꽃의 아름다움과는 완전 딴판이다.

열매는 둥근 포탄(砲彈)을 닮았다. 껍질은 2겹으로 아주 단단하다. 열매살(果肉)에는 수십 개의 씨가 들어 있다. 씨는 도톰한 타원형이며 겉은 티 투성이고 거칠다.

살라나무는 벌과 나비를 불러들여 수정하기 위하여 아름다운 꽃을 핀다. 이들 꽃은 수백 송이가 1년 내내 계속 핀다. 먼저 핀 꽃은 수정을 하여 열매가 익는다. 그 열매 옆에서 또 꽃이 핀다. 나중에 핀 꽃 역시 씨받이를 하여 열매를 맺어 씨를 생산한다.

꽃에서 씨가 되기 까지를 1대(代)라고 한다면 살라나무는 1대 2대 3대 이상이 함께 사는 대가족을 거느리는 셈이다. 꽃 옆에 열매, 익은 열매 곁에 꽃봉오리가 모여 아무렇지 않다는 듯 산다.

열매: 열매는 보통나무와 달리 가지 끝에 열리지 않고 몸통줄기와 굵은 줄기에서 나온 열매축에 달린다. 열매축은 휘어지기는 해도 잘 끊어지지 않는 칡덩굴 같고 굵기는 지름 1~3cm다. 크고 무거운 열매를 맺어 땅으로 떨어지지 않고 나무에 매달려 있게 해 좋은 씨를 생산하여 잘 보호하기 위함이다.

살라나무 열매와 달린 모습

열매 모양은 공처럼 둥글고 겉은 피목(皮目)같이 생긴 것이 수 없이 많고 거칠다. 전혀 매끄럽지 않다. 열매 위끝(열매자루 반대쪽) 부위는 뚜껑을 덮은 듯 약간 튀어 나와 있어 둥근 포탄처럼 보인다. 그래서 영어로 Cannonball(砲彈)이라고 불러졌나 보다.

열매 크기는 지름이 15~25cm이다. 색은 갈색, 적갈색이다. 무게는 익을수록 무겁고, 1~5kg으로 다양하다.

열매껍질은 단단하다. 덜 익은 생 열매는 큰 칼로 벨 수 있으나 마르거나 익은 열매는 칼로는 자르기 어렵고 망치나 돌로 두들겨 부수어야 한다.

덜 익은 신선한 열매를 코코넛 열매를 자르는 큰칼로 잘라보았더니 열매살(果肉)은 물기가 거의 없는 딱딱한 생고무가 섞인 스펀지나 박속 같았다.

열매살 가장자리로 씨가 많이 박혀 있었다.

열매살은 공기에 접촉하면서 하얀 색이 차츰 청회색으로 변하였다. 덜 익은 열매를 몇 달 두었다가 열매를 깨트려 보았더니 속살은 곰팡이가 슬고 썩어 새카만 숯처럼 변해 있었다.

나무에서 바로 딴 익은 열매를 망치로 두들겨 부셔보았다. 겉껍질은 아주 단단한 표주박 같았고, 2중(2겹)으로 되어 있었다. 열매살은 차진 순두부 죽 같고, 색은 붉거나 검붉거나 진한 핑크가 섞여 있었다.

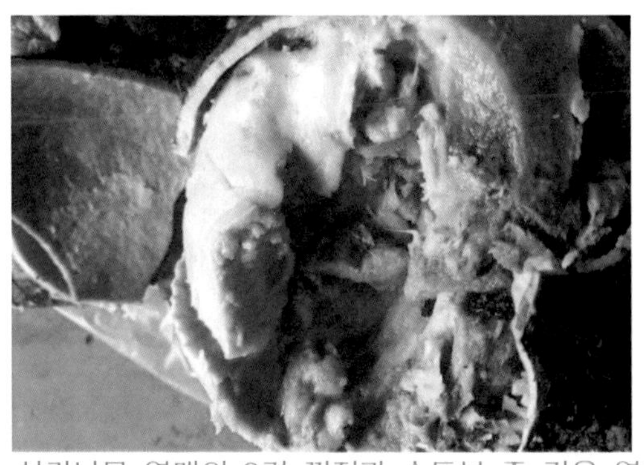

익은 살라나무 열매의 2겹 껍질과 순두부 죽 같은 열매살

씨: 씨는 1개열매 속에 수십 개가 들어 있다. 덜 익은 열매는 씨가 열매살에 들어 있는 모습이 뚜렷하고, 호박이나 오이 속의 씨

와 비슷하게 박혀있다.

그러나 익은 열매는 열매살이 죽처럼 되어 있어 씨가 잘 안 보이고, 손으로 열매살을 쥐어짜면 작은 덩어리로 빠져 나온다. 그것도 씨의 겉에 실모양의 털(모용)같은 것이 많다. 이것은 물로 씻어도 잘 안 떨어진다. 그리고 씨와 열매살의 분리가 잘 안 되어 육안으로는 씨인지 건더기인지 분간하기 어렵다.

열매살에서 분리한 씨를 물로 깨끗이 씻어 말렸다. 씨는 도톰한 타원형으로 겉은 톱밥이 묻은 듯 티 투성이로 지저분했다. 크기는 길이 1.0~1.5cm, 너비 0.7~1.0cm, 두께 0.3~0.6cm다.

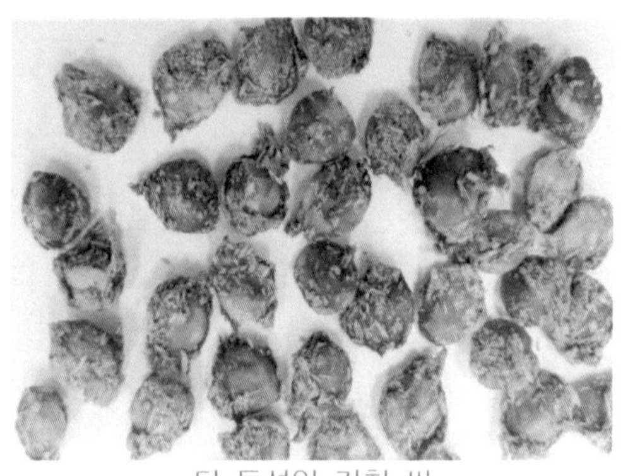

티 투성인 거친 씨

씨 색은 초기에는 하얗거나 옅은 베이지 색이며 익으면 갈색, 적갈색이다.

약1mm의 딱딱한 씨 껍질을 벗겨보니 씨 알갱이는 초기 덜 익은 씨와 같은 흰색이었다.

살라나무는 꽃만 아름다운 게 아니라 지혜롭기까지 하다. 왜 아름다운 꽃을 피어야 하는가? 왜 열매는 몸통줄기에 맺어야 하는가? 왜 씨는 털이 많아야 하는가? 궁극적으로 이러한 이유가 지구상의 냉혹한 생태계에서 오래 잘 살아 남아 종족을 보존하기 위해서라는 것을 잘 알고 있기 때문이다.

필자 주

1.대가족제 나무: 나무는 일반적으로 온대지역에서는 1년에 한 번 꽃이 피고 한 번 열매를 맺는다. 그래서 한 나무에 꽃과 열매가 공존하는 경우가 많지 않다. 4계절이 없는 열대 지역에서는 일부 나무는 한 나무에 꽃과 열매 등이 공존하기도 한다. 특히 꽃이 피어 열매와 씨가 익는 기간이 짧거나 반대로 그 기간이 긴 나무의 경우 꽃, 열매, 씨가 공존한다. 이와 같이 꽃, 열매, 씨가 공존하는 나무를 필자는 대가족제 나무라고 부른다. 아직 어디서도 이런 "대가족제 나무"란 말은 들어보지 못했다.

2.씨의 겉에 있는 털을 모용(毛茸, trichome, hair)이라 한다. 모용은 식물이 표피나 그 밖의 식물체 특정 부위에 만드는 털. 비늘 등의 조직을 말한다. 이들의 역할은 외부의 적을 보호하거나 양분을 흡수하는 일이다.

새눈(鳥眼)나무(*Ochna serrulata*)
-새눈나무와 노란살구꽃나무의 다른 점

새눈나무는 Ochna속의 한 종으로 노란살구꽃나무와 많이 닮았다. 그러나 열매가 익었을 때의 꽃받침 색깔이 빨강이어서 연녹색(누런색)인 노란살구꽃나무와 쉽게 구별할 수 있다. 잎 가장자리에 얕고 작은 톱니 모양을 하고, 씨가 콩처럼 둥근 점도 노란살구꽃나무와 다르다.

새눈나무는 오크나과 식물로 학명은 *Ochna serrulata*이고 영명은 Bird's eye plant(bush), Mickey mouse plant이다. 학명의 serrulata는 잎의 톱니모양에서 유래되었다고 한다.

한글이름: 공식적인 한글이름은 없다. 열매와 씨를 보면 까만 모습이 새의 눈을 연상케 하고 영명과도 일치하여 필자가 새눈(鳥眼)나무라고 했다.

새눈나무와 노란살구꽃나무의 차이: 오크나 속엔 86종의 식물이 있다고 알려져 있다. 필자는 Ochna속의 *Ochna integerrima*와 *O. serrulata* 2종 식물을 직접 관찰하였다.

관찰결과를 토대로 2종의 식물을 비교해보면 다음 표와 같다.

노란살구꽃나무와 새눈나무의 비교

	노란살구꽃나무	새눈(鳥眼)나무
형태	열대 낙엽활엽관목 또는 키 작은 나무이나 노란살구꽃나무가 낙엽성이 강한 듯함	
잎	긴 타원형, 가장자리가 아주 얕은 물결모양	타원형으로 길이가 노란살구꽃보다 약간 짧고 두꺼우며 가장자리에 작은 점 같은 돌기가 듬성듬성 있거나 얕고 작은 톱니모양
꽃받침	타원형, 열매가 익을 때까지 연녹색	타원형, 두껍고 초기엔 연녹색이다 열매가 익으면 빨갛게 됨
꽃잎	노란색, 5장, 둥근 타원형으로 큰 차이가 없음	
암술	암술1개, 수술보다 긴 점은 같으나 씨방 수는 새눈나무가 노란살구꽃나무 보다 적음	
수술	큰 차이가 없음	
열매	씨가 1~15개로 많음	씨가 1~5개로 적음
씨	초기엔 녹색(녹회색)이다가 익으면 검은 것은 같으나, 노란살구꽃나무는 긴 달걀형에 가깝고 새눈나무는 공모양	

사진으로 본 열매, 씨, 잎은 아래와 같다.

새눈나무 노란살구꽃나무

새눈나무는 빨간 꽃받침 안에 까만 동그란 씨가 박혀 있는 게 특이하고, 그 모습은 흡사 새의 눈을 연상케 한다. 비라도 맞아 젖어 있으면 더욱 그렇다.

비 온 뒤에 새눈나무 열매를 보면 볼수록 눈물 젖은 새의 눈을 보는 듯하다.

필자 주

1.속명 Ochna는 잎이 야생 배를 닮아 야생 배를 뜻하는 그리스어 Ochne에서 유래하였다고 한다.

2.https://en.wikipedia.org/wiki/Ochna,https://en.wikipedia.org/wiki/Ochna_serrulata를 참고했다.

솜나무(*Ceiba pentandra*)
-열매 속에 솜 같은 섬유질이 들어 있다

솜나무 열매엔 솜 같은 천연섬유질이 들어 있다. 익어 껍질이 갈라지면 하얀 섬유질이 솜처럼 부풀어 나와 바람에 흩날린다. 묘하게도 이것은 물에 잘 젖지 않는다. 방수효과가 있는 듯하다. 씨는 하얀 솜털 속에 검은 점처럼 박혀 있다. 그 모습은 작은 강아지처럼 귀엽게 보이기도 한다.

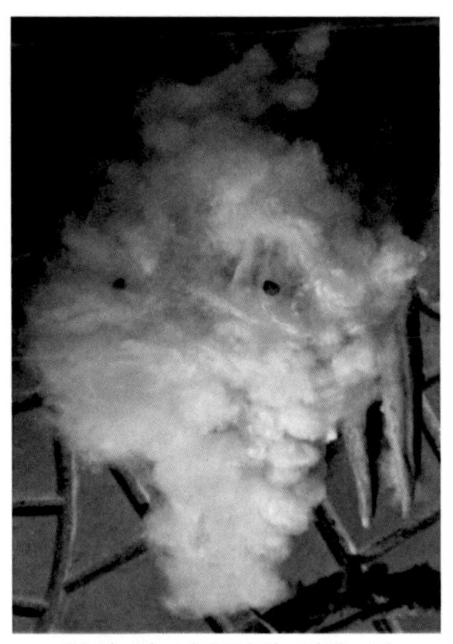

열매 안 섬유질과 검은 씨

솜나무는 아욱과(Malvaceae)식물로 학명은 *Ceiba pentandra*이며 10개가 넘는 동의어가 있다. 영명은 cotton tree, kapok, ceiba, java cotton등이 있으며 베트남명은 Gòn ta, Gòn,

Bông gòn이다.

한글이름: 공식적인 한글이름은 없으며, 케이폭, 양면목(洋綿木), 판야 등으로 불러지고 있다. 필자는 이런 이름 대신 솜나무로 했다. 이유는 ❶나무의 특성을 잘 반영하여 합리적이며, ❷부르기 좋고, ❸영명 Cotton tree(솜나무), Kapok(쿠션 등의 속을 채우는 부드러운 물질의 뜻)과 속명 ceiba(영어 kapok을 스페인어로 표현한 것임)의 뜻을 잘 살리고 있기 때문이다.

형태와 잎: 솜나무는 열대 낙엽성활엽교목(낙엽이 지는 넓은 잎 큰키나무)으로 키가 20m이상 자란다. 다른 열대나무에 비하여 트렁크(몸통)가 긴 것 같았다.

잎

잎은 손모양겹잎(掌狀複葉)으로 길이 15~25cm다. 소엽(小葉)은

5~9장이며 긴 타원형이다.

뿌리: 키가 커서 넘어지기 쉬운 탓인지 버팀 뿌리(Buttress roots, 扶壁根)가 땅 위와 땅 속 30cm에 반경20~30m까지 뻗어 있다고 알려져 있으나 확인은 못했다. 왜냐면 필자가 본 솜나무는 학교 앞 도로에 심어져 있어 보도블록으로 덮어 놓아 뿌리가 밖으로 나올 수 없도록 되어 있었기 때문이다. 버팀 뿌리는 나무의 지지역할뿐만 아니라 양분 흡수에도 도움을 준다.

꽃: 껀터에도 솜나무가 흔하지 않고 집에서 먼데 있어 자주 찾아가 관찰하지 못하였다. 그 결과 꽃피는 시기를 놓쳐 아쉽게도 꽃은 직접 보지 못했다. 솜나무 꽃은 나를 기다려 주지 않았다. 바쁘고 힘들더라도 시간을 내어 찾아가 꽃을 보았을 것을, 후회가 크다.

열매: 열매는 길이12~17cm의 양 끝이 좁고 둥근 조그만 애호박처럼 생겼다. 겉에는 세로로 5개의 봉선(縫線)이 홈처럼 나 있다. 초기에는 녹색이며 익으면 회백색이나 회갈색이 된다. 익은 열매는 봉선이 벌어지고, 그러면 압착되어 들어있던 섬유가 부풀어 퍼지며 열매 밖으로 나온다. 열매껍질은 딱딱하며 안에는 수십 개의 홈이 있다.

열매에서 나오는 섬유질은 물에 잘 안 젖는다. 부드럽고 아주 가볍다. 큰 나무에는 수백 개의 열매가 달린다. 1개 열매에는 수십 개의 씨가 섬유 속에 들어 있다.

열매

씨: 씨는 둥글거나 4모서리가 동그란 사각형으로 도톰하다. 크기는 지름5~7mm, 두께1~2mm정도다. 퍼진 섬유질 안에 씨가 박혀 있는 모습은 마치 어린 반려견 포메라니안으로 착각할 정도다.

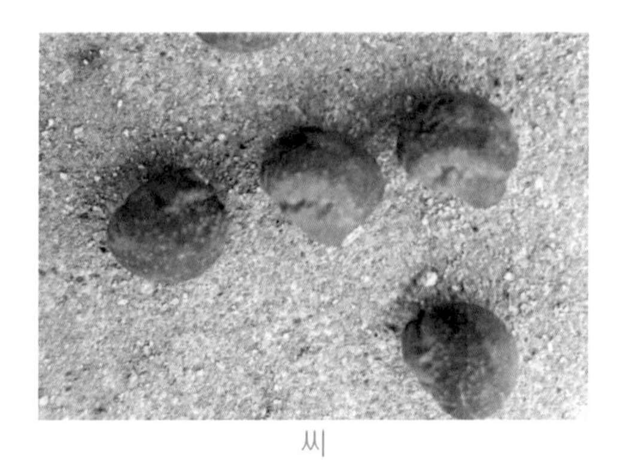
씨

세월은 멈추지도 기다려주지도 않는다. 세상의 모든 존재는 다 그렇다. 솜나무도 나를 기다려 주지 않고 저 하고 싶은 대로 꽃을 피웠다 지면서 열매를 맺더라. 볼 기회를 한 번 놓쳤는데 지금 후회가 크다. 그때가 내가 솜나무 꽃을 볼 수 있는 마지막 기회였을까? 아니면 좋겠다. 앞으로 언젠가 솜나무 꽃을 볼 수 있는 날이 왔으면 한다. 그랬으면 정말 좋겠다.

필자 주

1.https://en.wikipedia.org/wiki/Ceiba_pentandra,https://www.nparks.gov.sg/florafaunaweb를 참고했다.

여왕배롱나무1(*Lagerstroemia speciose*)
-잎 마주나나 어긋나기도, 인간은 생명체 변이에 적응해야 함을 일러줘

여왕배롱나무는 일반적으로 잎이 마주나기 하나 어긋나기도 한다. 수형은 대체로 원형이나 달걀형인데 오랜 된 나무일수록 잔 줄기와 가지가 아래로 축 처지는 경향이다. 한국 배롱나무에 비해 키가 크고 잎도 크다.

껀터시 호미안병원 담 옆 여왕배롱나무 길

여왕배롱나무는 부처꽃과(Lythraceae) 열대식물로 학명은 *Lagerstroemia speciosa*이다. 영명은 Queen's crape myrtle (여왕배롱나무), Pride of India(인도의 자존심), Rose of India(인도의 장미), Giant crepe myrtle(큰배롱나무), Banaba, Pyinma 등이다. 베트남 이름은 Bằng lăng tí, 중국이름은 大花紫薇다.

한글이름: 공식적인 한글이름은 아직 없다. 나는 이 나무를 여왕배롱나무라 부르고 싶다. 여왕배롱나무로 부른 이유는 이렇다.

.학명의 속명인 *Lagerstroemia*가 배롱나무속이다.

.학명의 종명인 Speciosa(스페시오사)가 '아름답다, 화려하다, 여성스럽다'는 뜻의 라틴어 스페시오서스(speciosus)에서 비롯되었다.

.영명 역시 Queen's crape myrtle(여왕배롱나무)가 널리 사용되고, 꽃의 여왕이라고 불릴 만큼 꽃이 화사하고 아름다워 가치가 있다.

.일부 큰꽃배롱나무라고 부르기도 하나 한국에서 자라는 배롱나무(Lagerstroemia indica)보다 꽃만 큰 게 아니라 잎, 열매, 씨, 나무 키 등이 모두 크다.

수형: 여왕배롱나무는 높이10~20m의 열대 상록활엽수다. 그러나 건조하고 가뭄이 심한 경우는 짧지만 낙엽이 지기도 한다.

수형은 대체로 곧고 굵은 몸통줄기 하나에 대체로 원형이나 달걀형 수관(樹冠)이다. 그러나 나무가 오래 될수록 잔 줄기와 가지가 아래로 늘어지는 경향이다.

수피는 자연 상태에서 벗겨지기는 하나 줄기는 매끄럽고 반질반질

하지 않다. 배롱나무의 몸통줄기가 여러 개이고 매끄러우며 꾸불꾸불한 것과는 판이하게 다르다

꽃이 핀 여왕배롱나무

잎: 모양은 넓은 타원형이다. 잎은 대부분 마주나기 하나 더러는 어긋나기도 한다. 크기는 한국 배롱나무 잎보다 몇 십 배 커서 길이8~15cm, 너비3~8cm다. 잎 몸(葉身) 가운데 세로로 주맥이 있고 여러 개의 측맥(側脈)이 어긋나 있다.

어린 새잎은 붉거나 핑크빛을 띠기도 하나 오래되면 녹색으로 변한다. 모양도 오래된 잎보다 너비가 좁은 편이다.

어린 새잎

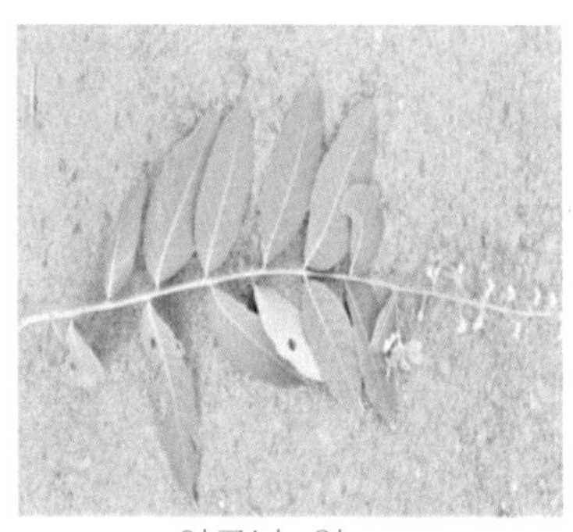

어긋난 잎

목재: 여왕배롱나무 목재를 파인마(Pyinma)라고 한다. 이것은 티크(Teak)재(材)처럼 내구성이 좋고 단단하여 조선, 건축, 교량, 철로, 농기구 등의 제조에 쓰인다고 한다.

용도: 나무는 목재, 수피는 설사복통 치료, 잎과 건조열매는 차로 이용되기도 한다. 필리핀에서는 바나바(Banaba)차라고 하여 전통적으로 이용되고 있다. 하지만 베트남에서는 아직 차나 의약용으로 이용한다는 이야기를 듣지 못했다.

생명체는 변이가 일어나기 마련이다. 여왕배롱나무 잎은 마주나기가 정상이다. 그러나 잎이 어긋나는 것은 잎 나기에 변이가 일어났다는 것이다.

요즘 인간을 힘들게 하면서 세상을 바꾸는 코로나19도 기존 코로나바이러스의 변이가 일어난 변종인 셈이다. 이런 생명체의 변이를 막을 수는 없다. 인간이 아무리 위대하다고 해도 생명체 변이

발생은 어쩌지 못한다. 그렇다면 어떻게 해야 할까? 생명체의 변이현상에 인간이 적응하여 생존하는 게 상책이다.

필자 주

1.속명 Lagerstroemia는 이 나무 이름을 명명한 린네에게 식물 표본을 제공한 스웨덴 자연주의자 Magnus von Lagerstroem을 기념하기 위해 붙였기 때문에 식물의 특성과는 별 관계가 없다.

2.https://www.nparks.gov.sg/florafaunaweb,https://en.wikipedia.org를 참고했다.

여왕배롱나무2(*Lagerstroemia speciose*)
-씨에는 날개가 있고, 꽃봉오리 안에는 실지렁이?

여왕배롱나무 꽃은 화사하고, 열매는 목 구슬 같고, 씨에는 날개가 있다. 한국 배롱나무 보다 나무, 잎, 꽃, 열매, 씨가 크다.

조그만 꽃봉오리가 귀여워 안이 궁금했다. 쪼개어 안을 보다가 실지렁이 같은 게 있어 놀랐다. 알고 보니 압축되어 있던 암술이 늘어나면서 스프링처럼 튀어올라 생긴 해프닝이었다.

꽃봉오리: 꽃봉오리는 연한 핑크빛과 연한 회백록빛을 띠고, 위가 넓은 공 모양이며 겉에 여러 개의 얕은 골과 얕은 능각(稜角)이 주름져 있다. 크기는 지름0.6~0.8mm다.

꽃봉오리 안의 실지렁이 같은 자주색 암술

꽃봉오리 안이 궁금하여 쪼개어 보았다. 수술 꽃밥은 노랗고, 꽃잎은 하얗다. 그 사이에서 자주색(가지색 같기도 함)의 실 같은 것이 기어 나오는 듯 했다. 실지렁인 줄 알고 놀라 버렸다. 그렇게 5개 꽃봉오리를 쪼개어 보니 모두 같았다.

자세히 보니 실지렁이가 아니고 암술이 좁은 공간에 압축되어 말려 있다가 풀려난 것이었다. 꽃봉오리는 최대한 집약적 효율적으로 공간을 활용하고 있었다.

꽃: 꽃은 꽃잎, 꽃받침, 암술, 수술이 있는 완전 갖춘 양성화다.

꽃차례는 원뿔모양꽃차례(Panicle, 원추화서)로 수십 송이 꽃이 밑에서부터 위로 계속 핀다, 꽃대중심축은 20~50cm로 길고 곧다.

활짝 핀 꽃과 꽃차례

꽃받침은 꽃봉오리 때는 꽃봉오리 전체를 감싸고 있는 듯해서 구별이 어려우나, 꽃이 피면 위가 6개로 갈라진 조각 끝이 뒤로 젖혀져 있는 얕은 접시 같다. 열매가 익어 벌어져 떨어져도 꽃받침은 그대로 꽃대축(열매대축)에 붙어 있다.

꽃잎은 6장이고 가장자리는 물결모양이며 구김이 심하여 쪼글쪼글 주름이 많다. 색은 연보라, 연분홍이며 오래되면 색이 바래 흰색에 가까워진다. 크기는 길이 2~3.5cm며 화관은 4~8cm다.

꽃술은 암술1, 수술 여러 개다. 암술대와 수술대 모두 보라색이나 수술대는 꽃밥이 떨어질 무렵에는 흰색에 가까워진다. 꽃밥은 노랗다. 씨방은 수수 알 크기로 둥글고 연녹색이다.

열매: 열매는 둥글고 지름1.5~3.5cm다. 초기에는 녹색이고 익을수록 황록색(어두운 배 색깔과 비슷함)이 되고 오래되어 벌어질 무렵이면 갈색, 흑색, 흑갈색에 가깝다. 완전히 익으면 6개 조각으로 벌어진다.

열매: 껍질이 벌어지기 전(좌), 익어 벌어진 뒤(우)

열매껍질은 목질화 되어 두껍고 단단하다. 각 조각에는 2개의 방이 있어 거기에 씨가 세로로 포개져 있다. 1개 열매에는 30~80개의 씨가 알갱이 부위는 아래, 날개 부위는 위를 향하여 들어있다.

열매가 조각나 다 떨어지고 나도 꽃받침은 그대로 나무에 달려 있다. 그런 꽃받침의 중앙에는 6개능각이 있는 돌기가 있다. 돌기는 열매 6개 조각 사이에 끼어 열매를 지지하는 역할을 했다.

씨: 씨는 전체가 납작하며 한쪽 옆구리가 직선에 가까운 반 타원형이다.

씨

아래는 알갱이, 위는 날개로 되어 있으며 볼록한 옆구리엔 맥(脈) 같은 것이 있다.

알갱이는 검거나 갈색에 가깝고 날개는 누렇거나 희다. 전체 크기는 길이1.0~1.5cm, 너비는4~7mm다. 가벼워 불면 날린다. 씨속살은 희다.

식물의 세계는 알면 알수록 오묘하다. 여왕배롱나무는 암술대, 꽃밥, 꽃잎 색을 다르게 하여 꽃의 아름다움이 돋보이게 함으로써 곤충을 잘 유혹하고, 수십 개의 수술 가운데에 1개암술을 두어 꽃가루받이를 잘 할 수 있도록 했다.

열매껍질은 두껍고 단단하여 외부 침입자를 막아 씨를 보호하고, 씨는 열매를 빠져 나오면 쉽게 멀리 날아갈 수 있도록 날개를 달았다. 여왕배롱나무는 이런 모든 지혜와 기술을 어떻게 알았을까?

필자 주

1.여왕배롱나무의 학명, 한글이름, 수형 등의 자세한 내용은 여왕배롱나무1을 참조하면 된다.

2.https://www.nparks.gov.sg/florafaunaweb,https://en.wikipedia.org를 참고했다.

열대아몬드나무(*Terminalia catappa*)
-열대에서 가을을 느끼게 하는 나무

껀터엔 가을이 없다. 그러나 가을을 느끼게 하는 나무가 있다. 열대아몬드나무(*Terminalia catappa*)다. 잎이 떨어지기 전에 붉게 물들기 때문이다. 나뭇잎은 9월 들어서부터 다음 해 1월까지 붉게 물들며 떨어진다. 영락없는 붉은 단풍이다. 그냥 떨어지는 누리끼리한 낙엽이 아니다.

There is no autumn in Can Tho. But there is a tree that makes you feel autumn. The tree is tropical almond tree, *Terminalia catappa*. This is because the leaves turn red before they fall. Leaves fall red from the beginning of September until January next year. They are completely a red maple. It is not just a falling leaf.

단풍으로 붉게 물든 열대아몬드나무

다른 나무들은 나뭇잎들이 떨어질 때도 붉게 물들지 않는다. 그래서 껀터 뿐만 아니라 열대지역에서는 단풍은 고사하고 붉게 물든 나뭇잎조차 보기 쉽지 않다. 2년9월간 해발 2,200m의 아프리카의 고산지대에서 살면서도 단풍구경은 물론 울긋불긋한 나뭇잎을 보기 어려웠다. 그저 생을 마감하는 초라한 낙엽으로 땅에 떨어져 비에 젖어 밟힐 뿐인 나뭇잎만 있었었다.

껀터의 가로수는 길에 따라 다르다. 야자수길, 아카시아나무길, 빵나무길... 등 다양한 가로수(街路樹) 길이 있다.

가을을 알리는 나무(영명 Tropical almond, Indian almond)인 열대아몬드나무 길은 껀터의 빈 컴 플라자 로터리에서 오먼 짜옥 공업단지 입구까지의 도로이다. 내가 사는 아파트에서 재래시장 가는 길의 군데군데와 빅토리아 리조트 바로 옆길에도 열대아몬드나무가 많다.

형태와 잎: 잎의 일부가 낙엽이 지는 열대의 잎 넓은 큰키나무로 붉은 단풍이 드는 게 특징이다. 오래된 나무일수록 가지가 옆으로 많이 넓게 뻗어 위가 둥그런 수평을 이룬다.

잎은 긴 타원형으로 길이10~20cm, 너비7~14cm이고 주맥과 측맥(側脈)이 뚜렷하다.

꽃: 암수한그루이나 꽃은 암술과 수술이 같이 있는 양성화와 수술만 있는 단성화가 공존한다.

꽃잎은 없고 아래가 통으로 된 꽃받침이 위가 5조각으로 갈라져 별 모양이다. 연노란색이며 암술은 1개이며 수술은 5개 이상으로 많다.

꽃

열매: 열매는 핵과로 길이3~5cm, 너비1.5~3cm이다. 덜 익었을 때는 다이아먼드형으로 능각이 뚜렸하고 녹색이나 익으면 능각이 무디어져 둥근 타원형으로 노란색을 띤다.

익기 전 나무에 달린 열매

익어 떨어진 열매

왜 열대지역에는 단풍이 없는가?

단풍은 식물이 겨울을 나기 위한 몸부림의 산물이다. 밤 온도가 10℃이하로 떨어지면 가을이 왔다 생각하고 월동준비를 시작한다고 한다. 이때부터 단풍이 들기 시작한다.

엽록소가 파괴되어 없어지고 대신 보조 색소였던 카로티노이드 계 색소가 나타나 나뭇잎은 노랗게 보인다. 또 다른 한편으로는 안토시아닌 계 색소가 만들어져 붉은 단풍을 만든다.

그러나 기온이 낮 5℃, 밤 영하로 내려가면 나무는 뿌리가 수분 흡수하는 것을 완전히 멈추고 이때쯤이면 나뭇잎도 다 떨어지는 것으로 알려져 있다. 헌데 열대지방에서는 낮 온도가 5℃아래로 내려가 지속 되는 일이 별로 없기 때문에 식물이 월동하기 위해 고생 할 필요가 없다. 열대지방에 단풍이 없는 이유다.

그렇다면 왜 열대아몬드나무는 나뭇잎을 붉게 물들여 껀터 연인들 마음을 흔들어 놓는가? 이 나무는 건기에 낙엽이 지는 것으로 알려져 있다. 온도보다 건조여부에 민감하게 반응한다. 그래서 보통 11월에서 다음해 5월초까지를 껀터시의 건기로 보면 9월부터 나뭇잎이 붉게 물들어 단풍이 되는 것과 건기와 거의 일치가 된다.

이 나무가 건기에 잎을 떨구고, 낙엽이 지기 전에 잎이 붉게 물드는 것은 단풍과 같이 온도(겨울나기) 때문이 아니라 수분(건기 견디기) 때문이다. 수분이 적은 메마른 건기에 잎을 떨구고 살아남기 위한 생존전략이다. 건기가 찾아오면 이들 나무는 나뭇잎에 수분과 양분 공급을 멈추게 되고 그러면 잎의 엽록소가 파괴되는 반면에 잎에 들어 있는 violaxanthin, lutein, and zeaxanthin과 같은 색소가 나타나 붉은색, 주홍색, 황갈색 등으로 변하는 것으로 판단된다.

다행이다. 열대아몬드 나무가 있어 껀터에서 그나마 가을 기분을 낼 수 있기 때문이다. 나뭇잎이 붉게 물들어가는 나무를 보면 가을이 오는 소리가 들리는 듯하다. 그래서 껀터 공항 가는 '야자수길'보다 가끔 좁고 오래된 '열대아몬드 나무길'로 출퇴근을 한다.

Thank God. There are the trees of Tropical almond, so, it is possible for you to feel autumn at least in Can Tho. If you look at the tree whose leaves are turning red, you may think that autumn is coming, even you may hear its coming sound. Therefore, I sometimes used to commute at the narrower, old road with these trees along the road than the palm tree road to Can Tho Airport.

단풍이 없는 열대 지역에서 열대아몬드나무는 무더운 여름의 청량제 같다. 그리고 단풍을 볼 수 없는 껀터 연인들의 가슴을 뛰게 만들거나 위로해줄지 모른다.

In tropical areas without maple, the tropical almond trees are refreshing like a hot summer softener. They may make it throb or comfort, the heart of the lovers in Can Tho who do not see maples.

필자 주

1.*Terminalia catappa*는 누구나 쉽게 부르고 기억하기 좋은 '열대아몬드나무"로 부르고 싶다. 그래서 이들 나무가 가로수로 많은 길을 "열대아몬드나무 길"로 불렀다.

2.2018년10월 5일과 6일 붕타우(Vung Tau) CS Wind 공장을 견학하고 해수욕장에서 즐거운 시간을 가졌다. 모처럼 낮은 산이지만 등산도 했다. 그런데 그곳의 열대아몬드나무는 아직 잎이 붉게 물들지 않았다. 바닷가라 수분이 많은 탓인가 보다.

3.열대아몬드나무 외에 *Barringtonia acutangula*라는 나무도 잎 일부가 붉게 물들어 떨어지나 거의 전체 나뭇잎이 물드는 것은 못 봤다.

열대층층나무(*Terminalia neotaliala*)
-층을 이루고 있는 수형(樹形)과 잎이 관상가치가 있어

열대층층나무는 나무모양이 층을 이루어 보기 좋고 잎이 관상가치도 있어 가로수로 좋아 보였다. 열매는 익어도 나무에 달려 있을 때는 거의 처음의 녹색을 그대로 유지하거나 노란빛의 녹색으로 변한다. 그러나 떨어져 마르면 흑갈색이 된다. 씨는 아주 작고 짓누르면 으깨져 종이에 자국이 생긴다.

열매층층나무는 사군자과(使君子科, Combretaceae) 식물로 학명은 *Terminalia neotaliala*이며 동의어는 *T. taliala, T. mantaly, T. obcordiformis* 등이 있다. 영명은 Madagascar almond tree, Umbrella tree, Indian Christmas tree, Taiwanese eagle tree이며 베트남명은 Cây bàng Đài Loan이다.

한글이름: 공식적인 한글이름은 아직 없다. 영명인 마다가스카르아몬드나무로 할까 생각도 했으나 이름이 너무 길어 부르기가 어렵고 나무의 특성을 잘 살리지 못했다. 우산나무라는 영명도 있으나 우산과는 좀 거리가 멀었다. 그래서 나무의 특성 중 하나인 수형을 고려하고, 자라고 있는 지역을 반영하여 한국의 층층나무와 구별할 수 있도록 열대층층나무라고 이름 지었다.

형태와 잎: 열대층층나무는 열대상록활엽수(늘푸른넓은잎나무)로 높이(키)10~20m, 수관(樹冠, plant spread/crown width) 10~

15m다. 나무줄기에 일정간격으로 수십 개의 가지가 층을 이루어 모여 돌려나 옆으로 뻗어 원뿔형을 이룬다. 나무 아래에 그늘이 많이 생겨 그늘식물로 불리기도 한다.

잔가지는 껍질이 섬유로 쌓여 있어 꺾으면 끊어지지 않고 휘어지면서 가느다란 섬유질 실이 부풀어 나온다.

열대층층나무

잎은 홑잎으로 주로 가지 끝이나 가지가 갈라지는 곳에 많이 달린다. 모양은 짧은 곤봉형이나 주걱형이며, 중앙에 세로로 난 주맥이 흰색에 가까워 녹색 잎을 돋보이게 한다. 크기는 길이 4~8cm, 너비2~4cm이다.

잎

꽃: 너무 작고 연한 녹색이어서 꽃이 피는 줄 모르고 지내다 땅에 열매가 떨어진 것을 보고 나서야 나무를 자세히 보니 열매가 거의 다 익어 있었다. 그래도 혹시나 하고 꽃을 열심히 찾았으나 허사였다.

열매: 열매는 둥근 타원형이다. 열매 초기에는 녹색이며, 익어도 나무에 달려 있을 때는 거의 녹색에 가깝거나 노란빛이 도는 녹색이며 겉은 매끄럽다. 잎 색과 거의 비슷하여 나무에 오르지 않고는 달려있는 열매 보기가 어렵다. 그러나 땅에 떨어져 마르면 흑갈색으로 변하며 겉에 세로의 주름이 생긴다.

크기는 길이1.8~2.5cm, 지름0.8~1.3cm다.

열매의 겉껍질은 아주 얇고 열매살은 섬유질이며 속껍질(내과피?)은 핵과(?)처럼 두껍고 딱딱하여 돌로 두들겨야 깨진다. 이들 열매껍질은 섬유질 열매살과 한 살처럼 붙어 있다.

나무에 달린 익은 열매

땅에 떨어져 마른 익은 열매

씨: 씨는 딱딱한 열매 속껍질 안에 1개가 들어 있다. 씨는 둥근 타원형이며. 씨 껍질은 갈색이며 두께는 1mm도 안 된다. 껍질을 벗겨낸 알갱이를 손톱으로 으깨었더니 종이에 물기인지 기름인지 모르는 물질이 나와 묻었다. 씨가 살아 있다는 증거다.

삽목(揷木)과 종자번식(실생 번식)을 한다.

익은 열매 안과 씨 알갱이

꽃은 눈에 띄지 않을 정도로 작고, 보잘것없다. 그런데도 열매는 많이 잘 맺는다. 나무에 향기가 있어 개미나 기어 다니는 벌레가 찾아와 꽃가루받이를 도와주기 때문이란다. 식물과 벌레의 세상은 들여다볼수록 지혜롭고, 조화롭고 공평하다.

필자 주

1.한국의 층층나무는 열대층층나무와 수형이 층을 이루는 것을 빼고는 다 다르다. 과(Family)는 층층나무과(Cornacae), 학명은 Cornus controversa이며 잎, 꽃, 열매, 씨가 다 다르다.

2.참고로 자료에 나와 있는 열대층층나무 꽃은 아래와 같다.

꽃(https://sites.google.com/site/efloraofindia/species)

3.https://www.nparks.gov.sg,https://www.flowersofindia.net,https://en.wikipedia.org를 참고했다

인도참나무1(*Barringtonia acutangula*)
-베트남에서 귀한 대접받는 나무

베트남엔 인도참나무라는 관상수(觀賞樹)가 많다. 가정집, 공공기관, 공원은 물론 가로수로도 많이 심어 귀한 대접을 받는다. 행운과 번영을 가져다 주는 나무라고 믿기 때문이다. 열대 낙엽활엽수로 잎이 떨어져 나목(裸木)이 되기도 한다.

껀터에서 매일 출퇴근 할 때와 장보기 다닐 때 눈인사를 하던 낯선 나무가 있었다. 물어도 정확한 이름을 아는 이 없어 이름을 모른 채 지냈다. 그러는 사이 꽃이 피었다 지고, 열매가 맺혔다 떨어졌다. 꽃과 열매를 보고 난 뒤에 이들 나무가 내가 근무하는 한베인큐베이터파크에 있는 인도참나무와 같은 나무임을 알았다.

인도참나무는 레키티스과(오예과, Lecythidaceae)식물로 학명은 *Barringtonia acutangula*이며 *Caryophyllus acutangulus* 등 동의어가 15개나 된다. 영명은 freshwater mangrove, Indian oak, itchy tree, mango-pine 등이 있다. 베트남 이름은 lộc vừng trán으로 번역해보니 참깨나무(Sesame Tree)였다.

한글이름: 공식적인 한글이름은 아직 없다. 그러나 일부에서 영명 freshwater mangrove를 직역한 담수맹그로브로 부르고 있다. 그런데 필자가 담수맹그로브 대신에 *Barringtonia acutangula*를 인도참나무라고 한 이유는 아래와 같다.

.과명과 속명이 맹그로브와 다르다.

.맹그로브의 주요 특성인 공기뿌리(氣根, Aerial root)가 없다.

.반면에 원산지 중의 하나로 알려진 인도에서는 영어로 Indian oak로 부르고, 힌두어로 Hijagal, 산스크리트어로 Abdhiphala, 벵갈어로 Hijal 등으로 부르는 등 인도에 잘 알려진 나무다.

.수피와 잎 등이 참나무의 일종인 떡갈나무와 가깝게 보인다.

.참나무처럼 낙엽이 진다.

.많은 관련 자료나 문헌에서 freshwater mangrove보다 Indian oak(인도참나무)라고 더 많이 보편적으로 부른다.

수형(樹形)과 잎: 인도참나무는 열대 낙엽성활엽수로 키가5~15m로 중간 큰키나무다. 수피(樹皮)는 1cm정도로 두껍다.

잎은 가지 끝에 밀집하여 어긋난다. 크기는 길이5~22cm, 너비 4~8cm의 긴 주걱모양이나 긴 타원형이며 두껍다. 어쩌다 몇 개 잎이 붉게 되어 풀밭 등에 떨어지면 아름답다.

모든 자료엔 상록수(Evergreen tree)로 되어 있는 것은 낙엽성 상록수가 더 맞다 고 본다. 잎이 떨어진 나목(裸木)을 보면 잎눈이 만들어져 뾰족뾰족 나와 있어 잎이 없어 보이는 기간이 불과 며칠로 짧아 착각한 게 아닌가 한다.

낙엽이 지면서 새잎이 나오고 1주일 만에 잎이 무성해짐

베트남에서 인도참나무의 위치: 베트남도 한자문화권이라 풍수지리사상이 일상생활에 큰 영향을 미치고 있다. 이런 관점에서 나무도 길목(吉木)과 흉목(凶木)이 있다고 생각하며 좋은 나무에 관심이 많다. 그런데 인도참나무는 길목 중의 하나로 귀하게 여기고 있다. 그 이유는 아래와 같다.

.나무 수형은 물론 뿌리, 줄기, 잎, 꽃 등이 관상가치가 높다.

.인도참나무 빨간 꽃이 행운과 번영을 가져다 주는 것으로 믿는다.

특히 하노이 등 북부 베트남인은 빨강색을 지나치리만큼 좋아한다. 이 때문에 가정의 정원, 집 앞, 공공기관이나 회사 등에 기념식수 등으로 많이 심고 중요한 행사 때 인도참나무를 선물한다. 필자가 근무했던 한-베인큐베이터파크(KVIP) 청사 앞 가운데, 가장 중요한 자리에도 인도참나무가 심어져 있다.

.꽃은 작지만 많아 다산(多産)을 뜻한다. 이 때문에 참깨나무라고 한 것 같다.

.나무 수명이 길어 집에 심으면 가족이 장수한다.

.재물을 상징하여 기업이나 회사의 목적에 맞는다.

.뿌리가 아주 단단하고 근육질로 보여 이 나무를 심으면 주인의 결단성을 강하게 해준다.

.설사 등 다양한 질병치료에 사용하는 전통적인 약용식물이다.

사람뿐만 아니라 나무도 좋은 나무로 태어나야 대접을 받는다. 그런가 하면 같은 나무로 태어나더라도 어디에 심어지느냐에 따라 받는 대우가 달라진다. 이것을 천명(天命)이라 한다면, 받아들일 수밖에 없지 않는가? 다만 불평불만하며 살 것인가 그래도 자족하며 조금이라도 개선시키면서 즐겁게 살 것인 가는 각자의 몫이다.

인도참나무는 호숫가에 심어지면 그건 그대로 좋고, 큰 기관 정원에 심어지면 그 또한 그대로 좋아 보였기 때문이다.

필자 주

1.https://mrhoa.com,http://tropical.theferns.info,https://www.rarepalmseeds.com,https://www.easyayurveda.com,http://www.asianplant.net,https://en.wikipedia.org 이었다.

인도참나무2(*Barringtonia acutangula*)
-꽃필 땐 꽃 비 오듯, 열매 맺히면 발 드리운(垂簾) 듯

인도참나무는 열대 낙엽성 활엽수로 한 나무에 꽃이 수백 수천 송이가 흐드러지게 핀다. 하여 꽃이 한창 필 때는 바람이 불면 나무 전체가 빨간 옷을 입고 춤을 추는 듯하고, 바람이 불지 않으면 붉은 꽃비가 내리는 듯, 빨간 발을 친듯하다. 열매가 익으면 초록색 문에 작은 호두알이나 하얀 곶감이 달린 발을 드리운 듯하다. 열매와 씨는 한 몸처럼 붙어 있으며 차돌처럼 단단하다.

꽃: 꽃은 꽃받침, 꽃잎, 암술과 수술이 있는 완전 갖춘 양성화다.

꽃봉오리는 둥근 곤봉 머리 같고, 꽃받침은 녹색, 나머지는 빨강 또는 핑크색이다. 크기는 길이1cm, 지름2~3mm로 작다.

꽃봉오리, 꽃받침, 암술, 꽃잎과 수술

꽃이 활짝 피면 꽃봉오리와는 전혀 다른 모습이다. 꽃잎은 4개이나 아래는 띠처럼 붙어 하나의 원을 이루고, 한 잎 한 잎은 직사각형에 가깝다. 꽃잎 1개는 길이2.5~3.5mm, 너비2.0~2.5mm다. 꽃부리(花冠) 지름은 7~12mm다. 색은 연한 핑크색이다.

꽃받침은 아래는 붙어 하나의 통을 이루고 위 끝이 4개로 갈라진 종(통) 모양이다. 크기는 길이2~3mm, 1조각 너비1~2mm다.

수백 송이 꽃이 핀 인도참나무

꽃이 피면 꽃술이 꽃잎을 덮고 있어 꽃술만 있는 냥 하다. 꽃술은 암술1, 수술 여러 개(10~30개)이고 모두 빨갛다. 꽃술 크기는 길이1.8~3.0cm, 지름0.5mm이하의 가는 실 같으나 암술이 수술보다 약간 길게 보인다.

대체로 암술은 곧은 편이나 수술은 곱슬머리 같기 때문이다. 수술이 곱슬곱슬한 것은 강한 햇볕의 차단과 통기를 돕기 위한 것으로 생각된다.

꽃차례는 총상꽃차례다. 꽃은 20~50cm의 긴 줄 같은 꽃대축(화花序軸)에 수십 개의 꽃이 핀다.

꽃이 작아 멀리서 보면 꽃인 줄 모르고 지나기 쉬우나 꽃이 한창 필 때는 수백 수천의 꽃이 피어 있는 꽃대축이 붉은 줄처럼 늘어져 있다. 마치 빨간 꽃비가 내리는 듯하다. 그러다 바람이라도 불면 흔들리는 모습이 나무 전체가 춤을 추는 듯 장관이다. 이런 모습을 그냥 지나칠 사람은 없으리라. 궁금하여 가까이가면 조그만 꽃의 별난 아름다움과 향기에 쉬 떠나지 못하게 된다.

인도참나무 아래 바닥은 꽃이 피는 시기에는 수많은 꽃이 떨어져 빨간 카펫을 깔아놓은 듯하다.

인도참나무 아래 떨어진 꽃들

열매: 열매는 달걀형(卵形), 긴달걀형(長卵形) 또는 골프공보다 작은 럭비공처럼 생겼다. 겉에는 4개의 능각(稜角)이 있다. 학명의 종명 acutangula는 능각이 있다는 뜻에서 유래했다고 한다.

크기는 길이3~4.5cm, 지름(또는 능각과 능각 사이)1.5~2.5cm다. 색은 초기에는 녹색이며 일부는 약간 붉은 색이 있고 익으면 베이지색이나 흰색이다가 오래 되면 흑갈색, 적갈색이 된다.

발처럼 드리워 달려 있는 열매

열매이삭이 길어 열매가 익을 때는 밤을 깎아 긴 줄에 꿰어 높은 봉에 걸어놓거나 흰 가루가 묻은 곶감이 달려 있는 모습 같다. 또한 긴 열매이삭에 흰색 열매가 듬성듬성 매달려 치렁치렁 거리는 모습은 가리게 발을 처 놓은 듯해서 발을 걷어 안을 훔쳐보고 싶은 유혹이 생긴다. 혹시 열매이삭을 들추어보면 그곳에 빨간 꽃 레이스(lace) 달린 옷을 입은 어여쁜 연인이 기다리고 있을 것 같은 착각에 빠지기 때문이다.

열매와 씨는 붙어 한 몸처럼 되어 있으며 잘 안 벗겨진다. 열매살은 거의 없어 껍질과 모두 합쳐도 씨보다 양이 적다. 껍질과 열매살은 한 몸이 되어 실 같은 섬유질 성 나무껍질 같다. 강제로 벗겨 내면 안에 차돌처럼 딱딱한 씨가 나온다. 단단하여 돌로 두드려야 깨진다. 씨 속은 희거나 회백색이며 꽉 차있다.

열매껍질과 쪼개 놓은 씨 알갱이

어쩌다 물들어 떨어지는 인도참나무 낙엽은 단풍처럼 곱다.

꽃은 귀엽다. 꽃이 한창일 때 바람결에 일렁이는 모습은 손에 손 잡고 춤을 추는 듯하다. 열매는 무덤덤하고 무심해 보이지만 익어 듬성듬성 매달려 있을 때는 발인 냥 보여 안을 엿보고 싶다. 열매와 씨는 왜 그리 단단한지? 한국에서는 볼 수 없는 인도참나무를 맘껏 즐기는 것만으로도 나는 좋았다.

천사나팔꽃(*Brugmansia* spp.)
-한국에서 찾았다. 열대에서도 못 본 열매와 씨

천사나팔꽃은 아름답고 향기까지 좋다. 게다가 씨가 없는 것으로 알려져 한국 사찰에서 즐겨 기른다.

천사나팔꽃 씨가 궁금하여 노지생육을 하는 열대에서 5년여 생활하면서 찾으려 애썼지만 허사였다. 그런 열매와 씨를 한국에서 찾았다. 정말 기뻤다.

열매는 도톰한 긴 타원형이며 씨는 일정한 모양이 없으나 굳이 말하자면 한쪽 끝이 뾰족한 다이아몬드형의 코르크 파편 같다. 가벼워 물에 뜬다.

그러나 코르크 같은 물질을 제거하면 둥글고 도톰한 알맹이가 나온다. 이것을 깨보니 하얀 알갱이가 있었다. 이 알갱이는 신기하게도 물에 가라앉는다. 살아 있다는 증거다.

천사나팔꽃(Angel's Trumpets)은 가지과(Solanoideae)의 독말풀속(*Brugmansia* genus) 7종(species) 식물 전체를 일컫는 말로 알고 있다. 이름은 꽃 모양이 긴 나팔 같고 아름다워서 붙여진 이름이다. 이중 학명이 Brugmansia suaveolens는 이상하게도 천사의 눈물(Angel's Tears)로 불리고 있다. 꽃말은 "덧없는 사랑"이란다.

천사나팔꽃, 서울 대모산 불국사(2020.10.28)

천사나팔꽃, 르완다 수도 키갈리와 무산제 도로변(2015.04.30

형태와 잎: 한국에서는 관상가치가 높아 정원수나 실내용 분화로 많이 기른다. 특히 열매와 씨가 없다고 알려져 사찰에 많이 심는

다. 나무가 아닌 여러해살이풀로 화분에 심어 기른다. 크기는 키가 1.5m이하다.

그러나 아프리카 르완다에서는 울타리나 도로변에서 많이 자란다. 거기서는 키는 2~6m. 몸통 지름은 굵은 것은 20cm가 넘는 나무 같다. 풀과 나무 여부가 궁금하여 잘려진 밑 둥을 보니 속이 단단하지 않고 스티로폼 같아 일반 나무와는 달랐다.

천사나팔꽃은 풀인지 나무인지 확실하지 않지만 자라는 환경에 따라 여러 해 살이 풀처럼 오래 살고, 나무처럼 줄기가 굵고, 키도 크다.

줄기 횡단면(르완다)

잎은 어긋나기를 했다.

베트남에서는 천사나팔꽃을 노지에서는 거의 보지 못했다.

꽃: 꽃받침, 꽃잎, 암·수술이 있는 양성화다. 꽃잎은 통꽃이고 끝이 6조각으로 갈라지고 실같이 생긴 끝이 약간 뒤로 젖혀져 있는 긴 나팔 모양 같다. 크기는 길이 약15~25cm, 꽃부리(화관) 지름 4~10cm다.

수술6, 암술1개이며, 암술대는 길어 꽃잎이 떨어지고 나면 꽃받침 밖으로 나와 기다란 안테나(실)처럼 늘어져 달려있다. 색은 노랑, 핑크, 하양, 오렌지, 빨강 등 다양하다. 꽃받침은 원통상이며 끝은 얕게 5~6조각으로 갈라져 있다.

꽃은 땅을 향해 달려 있고 향이 좋다. 향기는 특히 해질녘부터 밤에 진하게 난다. 밤에 향기가 진한 까닭은 천사나팔꽃의 꽃가루받이가 주로 나방에 의해서 이루어지기 때문으로 추정한다.

같은 꽃이라도 르완다 울타리 등에 핀 꽃보다 한국 사찰에서 핀 천사나팔꽃이 더 좋아 보였다. 정성 들여 가꾼 탓이 아닐까? 무엇이나 관심을 갖고 정성을 들이면 좋아지기 마련인가 보다.

향기가 적은 빨간 천사나팔꽃(Brugmansia sanguinea)은 벌새에 의해 수분(pollination, 受粉)이 되는 것으로 알려져 있다.

사진에서 보듯 그 모습이 너무 환상적이다.

벌새와 붉은 천사나팔꽃(페이스북 Brugmansia Group)

열매: 2015년10월22일에 서울 강남구 대모산에 있는 불국사에서 처음 천사나팔꽃 열매와 씨를 찾았다. 그 뒤 베트남에 가서 2년간 활동하고 돌아와 2020년10월28일에 같은 장소에서 2번째로 열매와 씨를 발견하고 확인 하였다.

열매는 도톰한 긴 타원형이다. 크기는 길이7~9cm, 너비 1.3~1.8cm, 두께8~13mm다. 색은 초기에는 녹색이고, 익으면 회백색, 회흑색이다. 겉에는 세로로 수십 개의 주름이 있다. 껍질 안쪽은 연녹색, 연한 녹회색이다. 껍질은 마른 나뭇잎 같고 가벼우며 두께는 0.2~0.3mm다.

열매는 익어도 벌어지지 않는다. 손으로 쪼개니까 껍질이 찢어지거나 부서지며 조각났다. 열매 안 가운데에 세로로 얇은 막이 있다. 막은 희고 두께는 0.05mm정도다, 막 가운데에 갈색, 흑갈색의 띠 같은 가느다란 맥이 있다. 열매 1개에는 40~60개의 씨가 빼곡하게 들어있다.

열매: 좌-2015.10.22 우-2020.10.28

씨: 열매 안에 있을 때는 뭉쳐 있어 큰 흙덩어리처럼 보인다. 그것을 살짝 누르거나 힘을 가하면 여러 개로 나누어진다. 씨는 일정한 형태가 없는 부정형(不定形)이다. 그러나 굳이 말하면 한쪽 끝이 길고 뾰족한 다이아몬드 형에 가깝다.

크기는 길이8~12mm, 너비4~7mm, 두께2~4mm다. 색은 갈색이며 겉은 곰보처럼 거칠다. 씨는 가벼워 물에 뜬다.

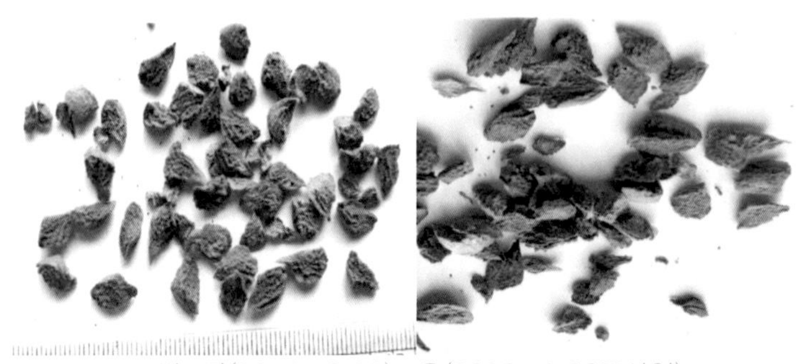
씨: 좌(2015.10.22) 우(2020.12.30조사일)

씨 껍질은 코르크 같고, 손톱으로 끊으면 잘 끊어진다. 껍질을 벗겨내면 딱딱한 알맹이가 나오고, 깨트려보니 속이 하얀 물질로 꽉 차 있었다. 알맹이는 납작 도톰한 타원형이며, 길이4~5mm, 너비2.5~3.5mm, 두께1.3~1.7mm다.

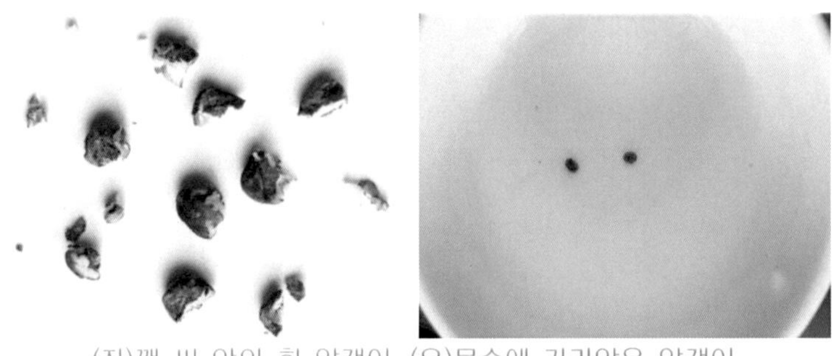
(좌)깬 씨 안의 흰 알갱이, (우)물속에 가라앉은 알갱이

씨 알맹이는 작고 가벼워 보이고 딱딱하나 물에 넣었더니 신통하게도 가라앉았다. 생명력이 있다는 증거다.

독성: 꽃은 아름답고 향기가 좋으나 전체가 독성이 있는 식물이다. 독성성분은 트로판계 알칼로이드(Tropane alkaloid)로 스코폴라민(Scopolamine), 효시아민(Hyoscyamine), 아트로핀(Atropine) 등이다. 섭취하면 환각(hallucination), 마비, 편두통, 기억상실 등의 증세가 나타나며 심하면 죽음에 이를 수 있다고 알려졌다. 현대에 들어와서는 이들 독성물질이 역설적이게도 병을 고치는 의약용 원료는 물론 천연농약제조에 활용되고 있다니 흥미롭다.

새로운 것을 만들거나 발견하는 일은 언제 어디서나 기쁘고 보람 있다. 천사나팔꽃의 열매와 씨를 발견하고 확인했던 순간이 오래 기억되는 이유다.

2021년 새해엔 세상과 인류에게 천사의 축하나팔이 울렸으면 한다.

필자 주

1.린네는 1753년에 천사나팔을 Datura 속으로 분류했다. 그러나 1805년에 C. H. Persoon씨가 화란의 자연주의자 Sebald J. Brugmans를 기념하기 위하여 Brugmansia 속으로 분리하였다. 그 뒤 많은 논란과 협의를 거쳐 1973년에 T. E. Lockwood가 Brugmansia로 확정하였다. 현재 7종이 있는 것으로 알려졌으나, 모두 재배 품종으로 전해지며 남미엔 수많은 품종이 있다고 한다. 현재까지 야생종은 발견되지 않은 것으로 알려져 있다.

2.한국이나 아프리카 르완다에서 본 종이 어느 것인지는 좀 더 조사 관찰이 필요하다. 왜냐면 꽃 색이 다양한 데 꽃 색이 같아도 종이 다르게 보이기도 하고, 형태상으로 보면 나무이나 생리학적으로 보면 풀로 볼 수 있는 점 등이 있기 때문이다. 그래서 영어로도 천사나팔꽃에 풀(Grass)과 나무(Tree)라는 말을 쓰지 않고, 대신 semi-wood, woody라고 표현한다. 불국사에도 2종이 있는 것 같다.

3.7종중에서 *Brugmansia aurea, B. insignis, B. suaveolens, B. versicolor* 4종은 Warm Group에 속하고, *Brugmansia arborea, B. sanguinea, B. vulcanicola* 3종은 Cold group으로 나누어져 있다.

4.https://en.wikipedia.org/wiki,https://www.britannica.com/plant 를 참고했다.

플루메리아(*Plumeria* spp.)
-열대 현지인 거의가 평생 못 보았다는 희귀한 열매와 씨

내가 만난 베트남인은 모두 플루메리아의 꽃은 보았지만 60평생을 살았어도 열매는 못 보았고 했다. 많은 사람에게 "열매와 씨를 보았느냐? 열매와 씨가 있느냐? 열매와 씨를 아느냐?"고 묻고 물었다. 그때마다 "모른다. 없다. 못 보았다."는 대답만 들었다. 필자 역시 아프리카 르완다에서 활동하는 3년동안 열매와 씨를 찾았지만 헛수고였다. 그런 플루메리아(*Plumeria*) 열매와 씨를 베트남에 와서 운 좋게도 찾았다.

They say that many Vietnamese have not seen plumeria fruits and seeds for a lifetime of 60 years enjoying the flowers. I have asked many people that "Have you seen fruits and seeds? Are there fruits and seeds? Do you know fruits and seeds of plumeria?" The answer is that "I do not know. There is no fruit. I did not see seeds of plumeria." I have also tried to find fruits of plumeria for three years in Rwanda, Africa, but it was in vain. I found such a plumeria fruits and seeds after all luckily in Vietnam.

베트남에 온 이래 출퇴근하면서 플루메리아(Plumeria)를 매일 보았다. 즐거움 중의 하나였다. 연 중 그 꽃을 볼 수 있어 더욱 좋았다.

형태와 잎: 열대의 관목이나 작은키활엽수다. 키는 3~6m이며 밑줄기는 지름이 10~30cm이다. 낙엽성이기 때문에 잎이 다 지면 회백색의 줄기와 가지는 귀태(貴態)가 난다.

플루메리아(껀터)

잎은 가지 끝에 모여 난다. 모양은 긴 넓은 타원형이며 주맥과 측맥이 뚜렷한 편이다.

꽃: 꽃은 아름답고 향기롭다. 꽃이 피는 초기엔 꽃잎 5개가 바람개비처럼 붙어 있다가 시간이 지나면 펼쳐진다.

크기는 화관(花冠)은 지름 4~6cm이고, 하얀색에 화심(花心)은 노란색이다. 화심의 노란색이 진하고 넓은 꽃은 노란색으로 보인다. 핑크와 붉은 꽃도 있다.

꽃: 좌-붉은 꽃, 우-흰 꽃

꽃차례는 취산꽃차례(聚散花序, Cyme)로 가지 끝에서 1개꽃대가 나오고, 그 꽃대에서 여러 개의 작은 꽃대가 나와 여러 송이의 꽃이 모여 피는 모습이어서 꽃이 한 창일 때는 결혼식에서 신부의 부케로 제격이라는 생각이 든다.

열매 찾기: 필자는 플루메리아 꽃을 천 송이, 아니 그보다 훨씬 더 많은 꽃을 보았을 게다. 그때마다 꽃이 아름답고 향기로운데 왜 열매가 없을까? 궁금했다.

꽃이 아름답고 향기로운 것은 사람에게 잘 보이려고 그런 것은 아니다. 벌과 나비 등을 유혹하여 사랑하기 위해서다. 그렇다면 분명 열매가 있을 게다. 이런 믿음을 가지고 플루메리아 나무를 보고 또 보고, 열매를 찾고 또 찾았다. 그러나 1달, 2달, 3달이 지나도록 플루메리아가 자라는 빅토리아호텔 등을 찾아 다니며 눈여겨 보았지만 열매는 보이지 않았다.

그러던 중에 베트남에 온지 4개월째인 2017년12월01일 아침이었다. 아름다운 플루메리아 꽃과 아침 햇살이 만나는 모습을 무심히 바라보았다. 하늘은 높고 푸르며, 햇살이 내려앉는 꽃은 유난히 아름다웠다.

눈을 못 떼고 있는데 무엇인가 가지 끝에 붙어 있는 것이 보였다. 가까이 다가가 보았더니 막대모양의 물체 2개가 붙은 모습이었다. 출근 차가 와서 더 확인을 못하고 그냥 출근을 했다.

퇴근해서는 어두워 아침에 보았던 물체의 존재만 확인하였다.

마침 다음날이 토요일이었다. 아침 식사를 하고 나가서 보았다. 분명 열매였다. 순간이었다.

'아~ 열매가~열매 맞다.'

탄성이 절로 나왔다. 이 기쁨을 누가 알랴! 돈 주고 살 수 없는 기쁨이기에 더 값지다. 익지 않은 녹색 열매 2개가 마주보기(대칭)로 붙어 달려 있었다.

사진을 찍었다. 의자를 갖다 놓고 조금이라도 더 가까이서 사진을 찍고 또 찍었다.

익기 직전 열매(2017.12.02)

그 뒤 매일 한두 번씩 문안 인사하는 기분으로 가서 보았다. 혹시 폭우와 강풍에 떨어지지는 않았을까? 벌레나 날짐승이 헤치지는 않았을까?

12월11일 한 개의 이음선이 조금 벌어졌다. 씨가 더 익도록 그대로 두었다.

2일 더 지켜보다 씨가 보이는 13일에 열매를 조심스럽게 땄다. 베트남에 온지 만 4개월이 되는 날이다.

열매: 열매는 막대모양의 긴 타원형이다. 겉에 작은 돌기 같은 게 많이 나 있다. 2개가 마주보기로 붙어 있다. 색은 초기에는 녹색이며 익으면 암갈색~흑갈색이다. 크기는 길이10~15cm, 지름 1.5~2.0cm이다.

익어 벌어진 열매(2017.12.13)

열매는 익으면 이음선이 벌어지고 껍질이 옆으로 퍼져 결국엔 하나의 얕은 조각배 모양이 된다. 오래되어 2개의 열매가 벌어져 씨가 다 빠지면 영락없이 1개의 열매가 2조각으로 벌어진 모습이 된다. 이것은 2개열매가 완전 대칭(구조)으로 달리기 때문이다. 열매 자루는 지름이 4~6mm이며 질겨서 잘 안 부러진다.

열매에는 10여개의 씨가 들어 있다. 씨는 열매 껍질 안쪽에 붙어 있고 날개부위는 열매자루가 달린 쪽으로 껍질 안쪽에 붙어 있다. 그러니까 씨 알갱이가 열매 끝 쪽에 위치한다.

열매 안에 얇은 막이 들어 있어 열매가 벌어지기 전 씨와 씨가 달라붙는 것을 막아줌과 동시에 씨를 고정해준다. 얇은 막에 씨 알맹이의 한 쪽이 붙어 있어 빠져 나온 씨에 얇음 막과 붙은 자욱이 남아있다. 씨가 다 빠지고 나면 껍질 안쪽에 씨가 들어 있던 자욱이 선명하다.

씨

씨: 씨는 날개가 달리고, 전체는 한 쪽이 수평이고 끝이 무딘 꽃삽모양이다. 익은 씨의 색은 알맹이 흑갈색, 날개 흰 누런색이며 날개에는 흑갈색의 반점이 수백 개 있다.

크기는 길이2~4cm이며 알갱이와 날개 길이가 반반이다. 너비는 날개0.8~1.2cm, 알맹이0.5~0.8cm이다. 두께는 알맹이1~2mm, 날개0.1mm정도로 얇다.

껀터에는 여기 저기 플루메리아가 많이 자란다. 꼭 열매와 씨를 찾으리라고 다짐한 이유 중 하나다. 열매와 씨를 찾았으니 베트남에 와서 호기심 어린 의문 하나는 푼 셈이다. 매우 기쁘고 좋다. 아직 자료에서 사진으로도 본 적이 없는 열매와 씨를 찾아서 보고 만지고 느낄 수 있었기 때문이다.

Many plumerias grow here and there in Can Tho. It is why I pledged to find their fruits and seeds. I found the fruits and the seeds at last. I solved one of my curious questions coming to Vietnam. Glad so much. Because I could find, personally touch and feel the fruit and seed that I have not seen even as their pictures in the documents.

필자 주

1.속명 Plumeria는 프랑스 식물학자 Charles Plumier를 기념하기 위해 붙인 이름이다. 영어로 "Frangipani"라고 부르기도 하나 영미 권에서도 대체로 플루메리아로 부른다. 베트남어로는 Hoa Champa로 부른다고 한다.

2. 야생 플루메리아는 열매를 맺으나 정원수로 심는 재배종은 거의 열매를 맺지 않는 것으로 알려져 있다.

3. 필자가 발견한 열매는 흰 꽃이 핀 나무에서다. *Plumeria alba* 일 가능성이 높다. *P. alba* 이외에 재배종으로는 *P. rubra*가 많은 것으로 알려졌다.

4. 국립수목원 열대 온실에도 플루메리아가 있다. 열대식물이라 한국 같은 겨울을 노지에서 견뎌내기 어렵기 때문이다.

5. 호치민(사이공)에는 호치민 시청광장의 호치민 동상이 있는 곳에서 많이 볼 수 있고 껀터에서는 빅토리아 호텔과 TTC Hotel 앞 호치민 동상이 있는 공원에 많다. 물론 내가 사는 아파트 앞에도 많다.

행운목(*Dracaena fragrans*)
-줄기를 꺾어 물에 꽂으니 꽃 피고, 꽃 시들어 흙에 심으니 새순 나와

2009년2월 현재 살고 있는 집으로 이사 올 때에 2그루의 행운목 묘를 사서 하나의 화분에 심어 지금도 키우고 있다. 2나무 중 줄기가 하나인 행운목(*Dracaena fragrans*)이 줄기가 2개인 것에 비해 키가 너무 커서 2023년02월 중순에 줄기 밑동을 19cm정도만 남기고 끊어냈다.

큰 줄기를 끊기 전(2022.07.19) 큰 줄기를 끊은 뒤(2023.03.03)

●끊은 줄기를 물병에 꽂으니 꽃이 피다

끊은 줄기를 물병에 꽂아 두었다. 신기하게도 줄기 아래서는 뿌리가 생기고 위에서는 꽃대가 올라와 수십 송이 꽃까지 피었다. 10년이상 꽃이 피지 않던 행운목이 줄기를 꺾어 그저 물병에 담가만 두었는데 꽃이 피다니!!!! **어찌 이런 일이! 놀랍고 신기한 일이다.**

이것은 생존에 위험을 느낀 행운목이 살아남기 위하여 최대, 최후의 안간힘을 발휘한 것이라고 본다.

꺾어 물병에 꽂은 큰 줄기에 핀 꽃(2023.03.20)

생존에 위험이 닥친 것을 안 행운목은 온 힘과 정성을 다해 후대를 이을 궁리를 하여 끊어진 줄기에서까지 꽃을 피운 것 같다. 하지만 불행하게도 열매는 맺지 못하고 꽃은 시들었다.

필사적으로 기적에 가까울 정도로 피운 그런 꽃을 본 필자는 왠지 좋은 일이 있을 것만 같아 즐겁고 행복하기까지 했다. 이것은 인간의 이기심일지 모른다.

꽃은 2주정도 지나니까 시들었다. 그러나 꽃이 떨어지지 아니하고 그대로 꽃대에 마른 채 붙어 있었다. 시들어 꽃대에 달려 있는 모습 또한 보기 좋아 그대로 놓아 두었다.

●꽃이 시든 줄기를 흙에 심으니 활착하여 줄기 끝에서 새순을 내다

열매를 맺지 못하고 꽃은 시들었지만 줄기엔 잎이 하나 남아 있고 뿌리가 건실하였다. 아쉬움이 남았다. 그래서 버리지 않고 꽃이 시들어 마른 채 달려 있는 줄기를 물병에서 꺼내 그대로 화분에 옮겨 심었다.

그랬더니 그 줄기는 흙 속에 뿌리를 내려(活着하여), 시든 꽃대축이 남아 있는 줄기 끝에서 새순을 내어 잘 자라고 있다. 그리고 꽃대와 꽃은 말라 시들은 채 잎 위에 얹혀 편안하게 옆으로 누워 있다.

꽃대가 시든 부위에서 새순이 나와 자람(2023.07.09)

행운목이 살아 남으려는 몸부림은 정말 처절했다. 이런 몸부림은 어디 행운목 뿐이랴. 모든 생명체는 다 똑 같다.

이러니 모든 생명은 소중하다. 하여 살생은 삼가야 한다. 결코 생명을 죽이는 일을 함부로 해서도 안 된다. 세상에서 가장 큰 죄는 생명을 소멸시키는 일이다.

●남은 줄기는 몸통과 뿌리에서 싹을 냈으나 둘 중 하나만 살려

줄기 윗부분을 끊어내고 남아 있는 줄기 역시 몸통에서 하나의 새싹을 틔웠다. 새싹은 눈에 띄게 커졌다. 이 또한 살아남기 위한 몸부림이다.

그 무렵이었다. 줄기 아래 뿌리 부위 흙에서도 새싹이 나오기 시작했다. 이 또한 오래도록 지구에 살아 있으려는 노력의 하나다. 그런데 행운목은 필자보다 훨씬 지혜로웠다. 행운목의 고도의 생존전략을 모르는 어리석은 필자는 줄기에서 나온 새싹과 뿌리주위의 흙을 헤집고 나오는 새싹 모두가 잘 자라기를 기대했다.

줄기에 난 새싹(2023.04.25) 뿌리에서 나온 새순(2023.07.09)

나의 기대는 완전히 빗나갔다. 줄기에서 나온 새싹은 성장이 멈추고 시름시름 앓더니 말라 죽었고 대신 뿌리에서 나온 새싹은 새순이 되어 잎을 내며 싱싱하게 잘 자랐다. 행운목은 줄기에 난 새싹과 뿌리에서 나온 새싹 중에서 하나를 버리고 하나만 살려서 잘 키웠다. 행운목은 자기 분수를 알고 욕심부리지 않고 분수에 맞게 살았다. 줄기의 새싹과 뿌리의 새순이 모두 자라기를 바란 나는 행운목에게 뒤 통수를 한대 얻어 맞은 기분이었다.

그렇다면 행운목은 어떻게 줄기의 새싹과 뿌리의 새순 둘 다 키우기 어렵다는 것을 알았을까? 더 나아가 어떻게 욕심부리지 않고 분수에 맞게 줄기의 새싹을 버리고 뿌리의 새순만을 현명하게 선택하여 잘 키울 수 있을까? 행운목이 살아 남아 후대를 잇는 기교와 지혜에 절로 고개가 숙여졌다.

이런 생존전략이 뛰어난 행운목(Fortune plant, Happy plant)은 공기정화식물로 알려져 있다. 나사의 청정공기 연구(NASA Clean Air Study) 결과도 행운목이 포름알데히드, 자일렌(키실렌), 톨루엔 등과 같은 실내오염물질 제거에 도움이 된다고 할 정도다(Wikipedia참고).

행운목 꽃은 원뿔꽃모양꽃차례(圓錐花序, Panicle)로 1개 꽃대축에 수십 개의 꽃이 달린다. 꽃은 희고, 양성화로 암술1, 수술6개이며 꽃잎은 아래는 원통이며 중간 위는 6갈래로 갈라져 뒤로 약간 말려 있다.

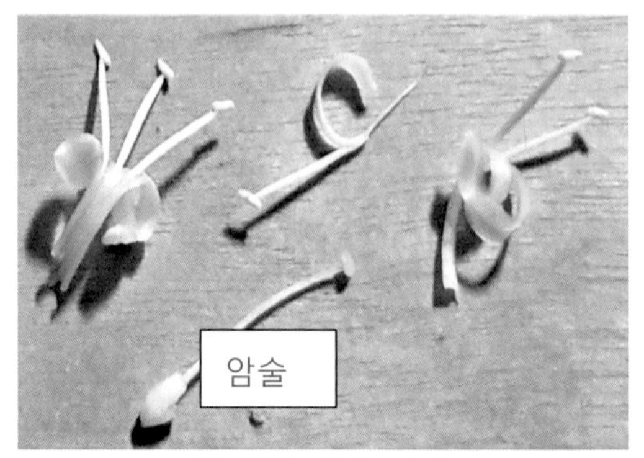

꽃-꽃잎, 암술, 수술

행운목은 어떻게든 지구상에 오래 살아 남는 게 가장 중요하다고 여기는 것 같다.

그러기 위해서 생식(번식) 수단을 삽목, 종자번식 등으로 다양화하고, 환경이 변하면 적응하고, 삶의 조건이 열악하면 견뎌내고, 시련이 닥치면 이겨내며, 생존에 필요한 최소한만 소유하는 것 같다.

버리지 않고 다 움켜쥐면 살아남기 어려운 줄 알고 용기를 내어 버릴 줄 알고, 욕심 부리지 않고 분수에 맞게 사는 듯 하다. 이런 점에서는 행운목이 나보다 훨씬 낫다.

이렇듯 행운목은 지구상에 오래 살아남으려는 욕망이 크고, 그 의지가 강인하며, 그 전략이 신비할 정도로 지혜롭다. 누가 이런 식물을 무시하고 함부로 대할 수 있는가? 나라도 친구처럼 지내야겠다.

필자 주

1.열대의 나라 르완다와 베트남에서 4년9월을 살았지만 아쉽게도 노지에서 자라는 행운목을 보지 못했다. 참고로 싱가포르국립공원 자료에 나와 있는 노지의 행운목 모습은 다음과 같다.

행운목(출처; NParks | Dracaena fragrans)

흰잎세이지(*Leucophyllum frutescens*)
-잎이 흰 나무, 곁에 서면 안개 속인 냥 좋지만 요주의

나뭇잎은 거의가 녹색이다. 그런데 흰잎세이지 잎은 하얗다. 하여 그 사이를 걸으면 안개 속을 걷는 기분이 든다. 꽃은 빨갛고 열매는 익으면 벌어진다. 씨는 작아 티끌 같다.

흰잎세이지는 현삼과(Scrophulariaceae, 玄蔘科) 식물로 학명은 *Leucophyllum frutescens*이며 동의어로 *Terania frutescene*가 있다. 속명은 흰 잎을 뜻하는 라틴어, 종명은 관목 같다(shrub-like)는 뜻의 라틴어에서 유래되었다고 한다. 영명은 (Texas) barometer bush, purple sage, wild lilac, (Texas) silver-leaf, Texas ranger (sage), cenizo, ash bush 등이 있다. 영명에 Texas가 유난히 많이 붙은 것은 이 나무의 원산지가 Texas로 알려졌기 때문이다.

한글이름: 공식적인 한글이름은 아직 없다. 그러나 흰잎세이지로 불리고 있으며, 이 이름에 대해 별다른 이견(異見)이 없어 그대로 사용했다.

형태 등: 밑 부분에서 가지가 많이 나는 작은키나무(灌木)로 키는 2~4m다. 열대상록식물이지만 기후환경에 따라 반 낙엽성이기도 하다. 울타리나 경계수종으로 알맞을 것 같다. 이들 나무가 무리지어 자라는 곳은 안개가 자욱한 것처럼 보이고, 사랑하는 연인이 나타날 것 같은 분위기를 자아낸다.

흰잎세이지(베트남 껀터 호치민공원)

잎: 모양은 타원형이며, 크기는 길이2~3cm, 너비1~2cm다. 잎 색이 하얀 게 특이하다. 은빛, 회백, 백록색으로 보이기도 한다. 자세히 보면 아주 미세한 흰털이 잎 전체를 촘촘히 덮고 있어 그런 것 같기도 하지만, 가까이서 보아도 영락없이 흰 잎으로 보인다.

잎을 손가락으로 문지르면 아주 아주 보드라운 모피(Fur)를 만지는 느낌이 들 정도로 촉감이 좋다.

꽃: 모양은 종(鐘)이나 나팔 같으며 끝은 5조각으로 갈라져 있고, 좌우대칭이다. 크기는 길이 2~3cm, 꽃부리(花冠)3~4cm다. 색은 빨강, 자주, 주홍이다.

암술1개로 씨방은 둥근 긴 타원형이며, 수술은 4개다. 꽃잎 안쪽에 곤충 유인무늬가 뚜렷하다.

꽃받침은 좁은 타원형이며 5조각이다.

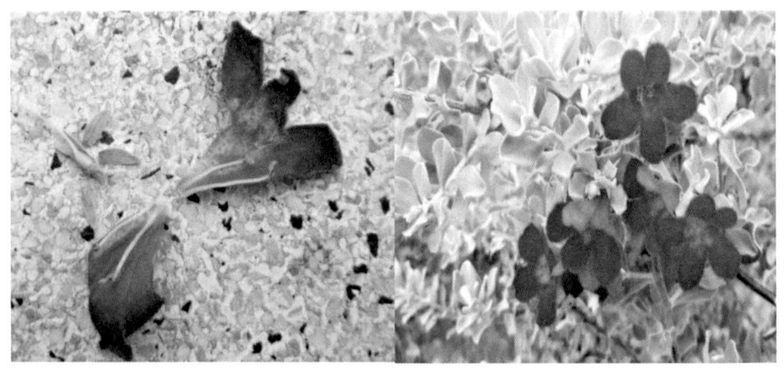
꽃: 좌-부위별로 나눠 본 것　　　우-나무에 핀 모습

열매: 열매는 거의 눈에 띄지 않을 정도로 적게 달린다. 끝이 좁은 세모꼴로 꽃받침 안에 들어 있으며 익으면 벌어져 씨를 내 보낸다. 색은 갈색이며 크기는 길이 4~5mm로 작다.

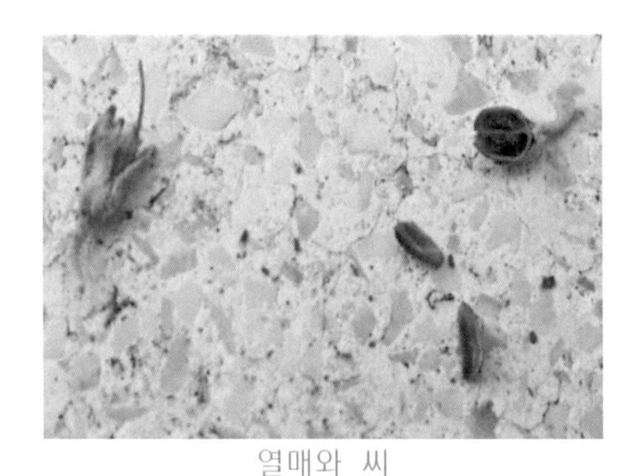
열매와 씨

씨: 씨는 작고 티끌 같으며 흑갈색이다. 휴대폰으로 접사 촬영에 한계가 있어 아쉬웠다.

번식: 씨를 심기도 하지만 삽목(揷木)을 많이 한다.

잎의 독성과 과다먼지: 미국 아리조나주립대학교 연구에 따르면 Leucophyllum속 잎 추출물은 풀 종자 발아와 상추·양파 묘 발육을 억제하는 식물독성과 세포분열억제력이 있다.

또한 잎이 빽빽하게 달리고 겉에 아주 미세한 털이 덮고 있어 먼지가 많이 쌓여 있기 때문에 잎을 가까이 하면 기침, 가려움 등의 알레르기 반응이 나타날 수 있다. 좋다고 지나치게 가까이 하면 안 되는 이유다.

흰잎세이지 나뭇잎은 하얗고 부드러워 자꾸 만지고 싶어진다. 가까이 하고 만져보는 건 좋은데 지나치면 안 좋다. 사람에 따라 피부병 같은 알레르기반응이 일어날 수 있기 때문이다.

흰잎세이지 나뭇잎이 희고 잎이 보드라운 것은 흰잎세이지를 위한 것이지 사람을 위한 게 아니다. 식물은 철저하게 그들의 생존능력을 증진하는 방향으로 진화한다.

필자 주

1.http://luirig.altervista.org,https://www.wildflower.org,http://www.public.asu.edu를 참고했다.

닫는 글

열대지역인 동남아와 아프리카엔 굶주림에 시달리는 사람이 생각보다 많다. 이들을 굶주림으로부터 해방시키는 방법의 하나는 현재 비식용 열대식물의 일부를 식용식물로 전환하는 일이다.

현지인의 이야기를 들어보면 현재 먹지 않는 야생식물 중에는 식용화가 가능한 식물이 많은 것으로 추정되었다.

따라서 바나나, 파인애플, 망고 등을 비롯하여 현재 농작물로 재배되는 식물의 신품종 육성, 재배방법의 개선 등으로 생산성을 높이는 한편 식용이 가능한 열대식물을 발굴하여 농작물로 전환하여 식용화 하고, 가공기술을 도입하여 식품으로 생산하는 것이 필요하다.

더 나아가 열대식물에 들어 있는 약효성분을 이용한 신약개발 등을 함께 추진하면 많은 사람들을 굶주림과 질병에서 해방시킬 뿐만 아니라 인류의 건강증진에도 큰 도움이 되리라 믿는다.

현재 먹지 않고 있는 열대식물의 식품화와 약효성분을 활용한 신약개발은 이들 식물에 대한 체계적이고 종합적인 조사연구가 장기간 이루어져야 한다. 이런 사업은 막대한 예산이 소요되어 개인이나 소기업이 실시하기에는 벅차다.

따라서 이 분야에 정부나 대기업에서 좀 더 관심을 가져주기를 기대하며, 책『열대식물 엿보기-비식용』이 그런 계기를 만드는데 미력이나마 도움이 되었으면 한다.

2024. 02. 14

유 기 열